Golther, Wolfga

Die sagengeschichtlichen Grundlagen der Ring-dichtung

Golther, Wolfgang

Die sagengeschichtlichen Grundlagen der Ring-dichtung

Inktank publishing, 2018

www.inktank-publishing.com

ISBN/EAN: 9783750127647

Die sagengeschichtlichen Grundlagen der Ringdichtung Richard Wagners.

Von

Dr. Wolfgang Golther

Professor an der Rostocker Hochschule.

Charlottenburg (-Berlin) 1902.

Verlag der „Allgem. Musik-Zeitung"

(Paul Lehsten).

Einleitung.

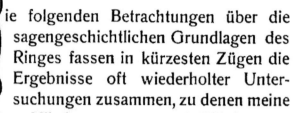

ie folgenden Betrachtungen über die sagengeschichtlichen Grundlagen des Ringes fassen in kürzesten Zügen die Ergebnisse oft wiederholter Untersuchungen zusammen, zu denen meine Vorlesungen über Nibelungensage und Nibelungendichtung im Mittelalter und in der Neuzeit an der Münchener und Rostocker Hochschule und Vorträge über den Ring, dessen vollständige und nach dem Bayreuther Vorbild durchaus stilgerechte Aufführungen an der Rostocker Bühne 1898—1902 ich mit zahlreichen erläuternden Vorbemerkungen und Besprechungen begleiten durfte, Veranlassung gaben. Der Aufforderung des Herrn Herausgebers der »Allgemeinen Musik-Zeitung«, meinem Tristanaufsatz (vgl. »A. M.-Ztg.« Jahrg. 29 No. 16) eine ähnliche Arbeit über den Ring folgen zu lassen, komme ich hiermit nach, indem ich die einzelnen den Ring des Nibelungen betreffenden Untersuchungen, von denen nur wenig (vgl. z. B. »Bühne und Welt« I 577 ff.) bisher gedruckt wurde, zu einem Gesammtüberblick vereinige. Ich gebe weder eine Geschichte der Nibelungensage noch der neueren Nibelungendichtung. Aber natürlich berührt sich meine Schrift mit solchen Büchern wie H. von Wolzogens Nibelungenmythus in Sage und Literatur 1876 oder

1

besonders mit E. Meincks sagenwissenschaftlichen Grundlagen der Nibelungendichtung Richard Wagners 1892, um aus der Fülle der hierauf bezüglichen, freilich nicht immer sehr kritischen und sachkundigen Arbeiten nur zwei Beispiele zu nennen. Auch des Dänen Gjellerup Buch über Richard Wagner in seinem Hauptwerke »Der Ring des Nibelungen«, deutsch von O. L. Jiriczek, Leipzig 1891 behandelt die Quellenfrage einsichtsvoll und sachverständig. Meine Absicht ist, in möglichster Kürze alles Wesentliche anzuführen, was im Ring quellenmäßig belegt werden kann. So weit der Wortlaut altnordischer Sagen und Lieder in längeren Absätzen zu geben ist, folge ich den schönsten Verdeutschungen, die wir haben, denen Uhlands und der Brüder Grimm. Nicht aber die Quelle an und für sich, sondern nur die Züge, die im Ring benutzt sind, kommen hier in Betracht. Ein solcher Vergleich rückt die **dichterische** Größe und Selbständigkeit Richard Wagners in helles Licht. Es liegt mir ebenso daran, zu zeigen, was Wagner nicht vorfand, sondern neu hinzufügte. Und das ist eigentlich das meiste und beste. Die gestaltende Wunderkraft des großen Dichters tritt im Ring wahrhaft leuchtend hervor. Die altgermanische Sage ist förmlich neu geboren worden und erfuhr in dieser Erneuerung die höchste Verklärung, die ihr je bisher zu Teil ward. Durch die im Folgenden gegebenen Nachweise wird die jedem Sachkundigen ohnehin bekannte Thatsache von neuem vorgeführt, dass Wagner niemals irgend welche bestimmte mittelalterliche Vorlage dramatisirte, wie etwa Uhland 1817 in seinem Entwurf eines Nibelungendramas oder Hebbel in seinem für mein Gefühl ganz unglücklichen

dreiteiligen Trauerspiel das Nibelungenlied, noch auch
in roher äußerlicher Weise die gesammte nordische
und deutsche Ueberlieferung durch einander warf und
auf einander häufte, wie Jordan in seinem stillosen
Nibelungenepos, das ich ebenso vom rein poetischen
wie sagengeschichtlichen Standpunkt durchaus ver-
werfe. Richard Wagner beherrscht vielmehr den ge-
sammten Stoff in seiner ganzen Ausdehnung bis zur
Gegenwart, ja sogar die darüber umgehenden wissen-
schaftlichen Ansichten. Er zerlegt die Sage in ihre
Grundbestandteile und führt daraus einen neuen selbst-
ständigen Bau auf, worin Altes und Neues, Eigenes
und Ueberliefertes zu einer unlöslichen künstlerischen
Einheit verschmolz. Aus allen triebkräftigen Keimen,
die irgendwo in den Quellen angesetzt hatten, sproßten
im neuen Zusammenhang herrlichste Blüten. Dagegen
ist mit staunenswertem Scharfblick jeder störende tote
Zug erkannt und bei Seite gelassen.

Heinrich von Stein schrieb einmal (Bayreuther
Blätter 1889, S. 189): »In der Edda habe ich den
Spuren der Fabel-Fügung nachgeforscht mit immer
wachsendem Bewundern und Erstaunen. Es ist
schließlich einfach und geradezu, als ob der Ring eine
den Eddadichtern nicht mehr zugänglich gewesene
Urschrift sei, deren teilweises Verständniß man dem-
nach in ihren Liedern nur hie und da verspürte: so
sehr scheint im Drama alles zu seiner Ureinheit zurück-
geführt und neu geschaffen und belebt.« Ich empfinde
genau so wie H. von Stein, wenn ich die Werke
Wagners mit ihren Vorlagen vergleiche: im Drama
ein organisches Gebilde, in den Quellen versprengte
und verstreute Bruchstücke. Aber man hüte sich vor

1*

dem Irrtum, als ob Wagner wirklich eine verlorene Sagenwelt, die hinter den Quellen lag, wieder gewonnen hätte. Das kann nur die darum heiß bemühte Wissenschaft. Der Künstler giebt uns eine völlig neue und eigene Schöpfung, deren Wert und Größe sich danach bemißt, ob sie hinter den Quellen zurückbleibt oder sie übertrifft. Die Sage von Sigfrid und den Nibelungen zerfällt in zwei Teile, einen märchenhaften, mythischen und einen geschichtlichen. Den Inhalt der Sigfridsage, die fränkischen Ursprungs ist, bilden die Taten des jungen Helden, sein Verhältniß zu Brünhild und Grimhild und sein Tod. Inhalt der Nibelungensage ist »der Nibelunge Not«, d. h. der Untergang der burgundischen Könige durch die Hunnen. Dieser geschichtliche Teil gründet sich auf burgundische Lieder und wurde mit der fränkischen Sigfridsage zu einer Einheit verschmolzen, so daß er als ihre Fortsetzung erscheint. Sigfrid ist der Sohn Sigmunds des Welsungen, dem Wodan ein Siegschwert verlieh. Damit tritt noch als Vorgeschichte eine dritte Sage, eben die von Sigmund, zu den beiden eben angeführten hinzu. Von den fränkischen und burgundischen Urgesängen des V.— VI. Jahrhunderts ist nichts auf uns gelangt. Aber die Sage wanderte nach Norden und Süden, knüpfte an die dort vorhandene heimische Ueberlieferung an und tritt uns mannigfach umgebildet in späteren Dichtungen entgegen. Wir besitzen norwegische Sigfridlieder aus dem X.—XI. Jahrhundert, süddeutsche Gedichte des XIII. Jahrhunderts und norddeutsche (westfälische) Lieder aus derselben Zeit. Letztere sind aber nicht im Original, sondern nur nach ihrem Inhalt bekannt in Gestalt der sogenannten Thidrekssaga, die um 1250 ein norwegischer Verfasser nach norddeutschen Liedern in norwegischer Prosa aufzeichnete. Die Wissenschaft ist bemüht, aus den beiden unabhängigen Hauptzweigen, dem nordischen und deutschen, die gemeinsame Grundlage wiederherzustellen, also die burgundisch-fränkische Sage des V.—VI. Jahrhunderts, wodurch auch die beiderseitigen selbständigen Zusätze bestimmt werden. Die Aufgabe ist schwierig und noch lange nicht gelöst. Früher galten allgemein die norwegischen sogenannten Eddalieder als die Träger der altertümlichsten und echtesten Ueberlieferung. Fast alles, worin sie die deutschen Quellen übertrafen, wurde der Ursage zugerechnet. Selbständige nordische Neudichtung ward nur in geringem Umfang angenommen. Jetzt bekehrt man sich allmählich zur entgegengesetzten Ansicht. Im Norden spielt die Götterwelt herein, Odin und die Walküren. Die Sigmundsage wurzelt völlig im Odinsglauben. Die Sigfridsage hebt sich namentlich durch die Walküre Brynhild auf demselben Hintergrunde ab. In Deutschland findet sich von alledem keine Spur, nicht weil diese Züge erloschen, sondern weil sie überhaupt nicht vorhanden waren. Die fränkische Sage scheint also im Norden einer tiefgreifenden Umbildung dadurch unterzogen worden zu sein, daß sie sich wie die heimische nordische Heldensage überhaupt an den Odinglauben anlehnte. Götter- und Heldengeschick verflochten sich mit einander.

Der heutige Dichter muß zu dieser ganzen umfangreichen Ueberlieferung Stellung nehmen. Weder Kompilation noch sklavischer Anschluß an eine besondere Vorlage führt zum Ziel, nur geniale Intuition, Erfassen einer leitenden Idee, Herausheben aller triebkräftigen, poetisch wirkungsvollen Motive, die zu dieser Idee und unter einander in bedeutende, oft neue und vertiefte Beziehungen treten müssen. Vor dem Dichterauge zerlegt sich die Ueberlieferung in ihre Bestandteile, um von Grund aus neu aufgebaut zu werden. Nur so wird der schöpferische Geist volle Freiheit sich wahren, treusten Anschluß an's Wesentliche der Ueberlieferung mit eigenster Erfindung vereinigen.

Und so erfaßte Richard Wagner die alte Sage. Seine Absicht war, nur den mythischen Teil, die Sigfridsage zu behandeln. Der geschichtliche Teil, die Sage vom Untergang der burgundischen Könige durch Etzel, blieb außer Ansatz. Damit trat Brünhild hervor, Kriemhild-Gudrun aber zurück. Schon Uhland (Schriften 1, 334) bemerkt: »Soll die Fabel irgend Einheit und Mittelpunkt haben, so muß notwendig das eine von den beiden Verhältnissen vorherrschend sein; so lange aber Brünhild mit ihrer mythischen Herrlichkeit umkleidet ist, kann ihr der Vorrang nicht streitig bleiben.« Ebenso verfuhr Ibsen in seiner »Nordischen Heerfahrt« (1857), die meines Erachtens obwohl grundverschieden doch neben Wagner als die einzige lebendige und poetische Neugestaltung der Sigfridsage zu rühmen ist. Aber alsbald laufen die Wege Wagners und Ibsens weit auseinander. Ibsen entfernt das mythische Element aus der Sage, um sie uns menschlich nahe zu bringen. Seine Aenderungen sind aber nicht einschneidend genug, um den Stoff der übernatürlichen Züge völlig zu entäußern. Das Mythische erscheint mehr nur im Lichte nüchterner, verstandesmäßiger Auslegung und daher verflacht. Die Hauptstärke der Dichtung Ibsens liegt darin, daß er den aus Deutschland in den Norden verpflanzten Stoff noch mehr der nordischen Umgebung anpaßte, als es die alten Skalden gewagt hatten. Die Sigfridsage spielt ganz im Rahmen der isländischen Familiensage des 10. Jahrhunderts, Sigurd ward zum Wiking. Prächtig gelang diese Verschmelzung, und der Kenner bewundert immer von neuem das Geschick Ibsens in der Nachahmung des alten Sagastiles. Wagner aber betonte gerade das mythische Element, das in voller erhabener Größe und Reinheit aus dem Stoffe herausgearbeitet wird, und suchte die Sage sammt ihren nordischen Zusätzen ins Gemein-Germanische und somit auch ins Deutsche zurückzuführen. Das war zur Zeit, da Wagner dichtete, 1846—52, der durch Lachmann, die Brüder Grimm, Wilhelm Müller u. a. begründete wissenschaftliche Standpunkt. Zweifellos sind die nordischen mythischen Zusätze zur fränkischen Sage von großer dichterischer Schönheit. Was den nordischen Skalden nicht ganz glückte, die organische Verarbeitung der nordischen Mythen mit dem fränkischen Stoffe, der Göttersage mit der Heldensage, führte Wagner um so herrlicher durch.

Für den Ring kommen als Quellen in Betracht das Nibelungenlied und das Lied vom hürnen Seyfrid, letzteres herausgegeben in v. d. Hagens Heldenbuch 1825, übersetzt von Simrock im Deutschen Heldenbuch Bd. III 1844; die nordische Volsungasaga und Thidrekssaga, übersetzt durch v. d. Hagen in den Nordischen Heldenromanen, Breslau 1814—28. Von den Heldenliedern der Edda gab es damals Verdeutschungen v. d. Hagens 1814, der Brüder Grimm 1815, Ettmüllers

1837; Ettmüllers mit einer sagengeschichtlichen Einleitung versehene, in wunderlich altdeutscher Sprach-
form verfaßte Uebertragung lag Wagner vor. Simrocks
Edda erschien erst 1851. Für mythologische Dinge
benutzte Wagner J. Grimms Deutsche Mythologie,
deren zweite Auflage 1844 erschien. Simrocks Mythologie kam erst 1853 heraus, übte also keinen Einfluß
mehr auf die Ringdichtung. Von neueren Nibelungen-
gedichten kannte Wagner Fouqués Sigurd 1808, Uhlands
Lied von Siegfrieds Schwert 1812 und Simrocks Wieland
1835. Noch in Dresden 1848 führte Wagner den
Nibelungenmythus als Entwurf zu einem Drama und
Siegfrieds Tod aus (vgl. den zweiten Band der ge-
sammelten Schriften). In Zürich 1851—52 entstand
die vollständige Ringdichtung. Das Siegfriedsdrama
ward zum Wotansdrama, Motive der nordischen
Göttersage, die 1848 noch fehlen, traten in den
Vordergrund. Wagner beschäftigte sich offenbar in
Zürich sehr eingehend mit nordischer Mythologie,
während in Dresden seine Aufmerksamkeit vorwiegend
der Heldensage galt. Simrocks Edda bot ihm aufs
bequemste die Göttersagen, die im Rheingold und in
den Wotanszenen vorkommen. Die Form, die Wagner
den nordischen Eigennamen giebt, ist dieselbe wie die
Simrocks. Die nordischen Götter galten damals und
besonders Simrock als völlig gleich mit den deutschen.
Daher wurden womöglich die deutschen Namens-
formen, also Wotan, Froh, Donner, Alberich, Mime
für Odin, Frey, Thorr, Andwari, Regin eingesetzt
Ein besonderer Vorzug Wagners vor allen andern
Dichtern, die altgermanische Sagen erneuten, ist seine
tadellos richtige Betonung der zweistämmigen Eigen-

namen auf dem ersten Glied, also Walhall, Walküre,
Sieglinde, Brünnhilde u. s. w.

Zugleich erfreute sich Wagner sachkundigen philologischen Beirats. Schon 1841 in Paris hatte ein
Philologe, Lehrs, ihm die wichtigsten Quellen zum
Tannhäuser gewiesen, weshalb Wagner von der damals
aufgestellten, wissenschaftlich unhaltbaren Annahme
Kenntniß hatte, Tannhäuser sei derselbe wie Heinrich
von Ofterdingen. Ein philologischer Irrtum war von
größter Bedeutung für den Dichter, der Tannhäuser
und Ofterdingen auch wirklich zu einer unteilbaren,
einheitlichen Gestalt verschmolz. Am Züricher Gym-
nasium und an der Hochschule wirkte damals ein
seltsamer Kauz, Ludwig Ettmüller, hochgelahrt in
altgermanischen, insbesondere angelsächsichen und alt-
nordischen Dingen. Ettmüller war fürs Altgermanische
mit ganzer Seele begeistert und trug diese Liebe zum
Altdeutschen sogar in seinem Aeußeren zur Schau.
Er versuchte sich neben seinen teilweise verdienst-
lichen, wenn schon unkritischen gelehrten Arbeiten
auch im Dichten, hier aber mit entschiedenem Un-
glück. Er war viel zu schwerfällig und unpoetisch,
um seinen geliebten alten Quellen auch nur einigermaßen
Genießbares nachzudichten. In den Vorbemerkungen
zu den 15 Briefen Wagners (Rundschau XIII, 5, 261)
berichtet Frau Wille auch von Ettmüller, mit dem der
Meister anfangs über nordische Heldensagen sprach.
Höchst wahrscheinlich hat Ettmüller auch das Ver-
dienst, Wagner auf zwei wundervolle nordische Skalden-
lieder aufmerksam gemacht zu haben, die bei der
Todkündigung in der Walküre Verwendung fanden.
Daß der Meister von Ettmüller und überhaupt vom

ganzen »Teufelsvolk der Professoren« keinerlei Anregung erfuhr, versteht sich von selber, aber zum gelegentlichen Erfragen von wertvollen Quellen mochte Ettmüller wohl tauglich sein. Seltsam hat sich der wunderliche Greis später am Ring versündigt. Er machte nämlich 1870 selber ein Drama in »fünf Handlungen«, Sigufrid, eine unfreiwillige Parodie auf Siegfried und Götterdämmerung bezw. Siegfrieds Tod. Mit unglaublicher Naivetät schreibt Ettmüller Szene für Szene nach in einem schauderhaften Deutsch. Sein dramatischer Vers ist originell: er nimmt den sechsfüßigen Jambenvers (Trimeter) des antiken Dramas und staffirt ihn mit Stabreimen aus. In dieser unmöglichen Redeweise nehmen sich die überaus zahlreichen wörtlichen Plagiate aus dem Ring ebenso hübsch aus wie beim unbewußten Philosophen E. v. Hartmann, als er die Tristandichtung für sein eigenes Trauerspiel ausplünderte. Natürlich »ergänzt« Ettmüllers Gelehrsamkeit auch den Meister auf Schritt und Tritt mit allerlei unnötigen Sachen, z. B. mit der unvermeidlichen Zankszene zwischen Brunhild und Grimhild. Dieser Sigufrid ist aber nie gelesen oder aufgeführt worden. Wenige wissen überhaupt von seinem Dasein.

Von der Quellenbenutzung Wagners dürfen wir uns aber keine falsche Vorstellung machen. Es handelt sich nicht wie beim Gelehrten um ein mühsames Zusammentragen von Einzelheiten. Der Dichter nimmt vielmehr wohl schon beim ersten Lesen bestimmte, unauslöschliche Eindrücke in sich auf, die lange schlummern können, bis sie plötzlich mit wundersamer Leuchtkraft oft in ganz neuem Zusammenhang wieder auftauchen, vom schöpferischen Genius gleichsam neu

geboren werden. So geschah es z. B. mit den Mädchen-
blumen des Alexanderlieds (herausgeg. mit Uebersetzung
von Weismann 1850), die im Parsifal auferstanden. So
erbat sich Wagner im November 1851 von Uhlig aus
Dresden nach Zürich v. d. Hagens Wölsungasaga
(vgl. Wagners Briefe an Uhlig S. 118). Er schreibt
von der Dichtung der Walküre und wünscht aber-
malige Durchsicht. »Jene Wölsungasaga möchte ich
noch einmal haben; nicht um nach ihr zu bilden, (Du
wirst leicht finden, wie sich mein Gedicht zu dieser
Sage verhält), sondern um mich alles wieder genau
zu erinnern, was ich an einzelnen Zügen schon einmal
konzipirt hatte.« Als aber das Buch eintraf, konnte
Wagner bei rascher Durchsicht der Sage nur ersehen,
»daß er sie allerdings garnicht mehr nötig gehabt
hätte«.

1844 forderte F. Th. Vischer in seinen kritischen
Gängen II ein musikalisches Nibelungendrama: »Es
muß mich alles trügen, oder es ist noch eine andre,
eine neue Tonwelt zurück, welche sich erst öffnen soll.
Die Musik soll noch ihren Schiller und Shakespeare
bekommen. Der Deutsche soll noch seine eigene
große Geschichte in mächtigen Tönen sich entgegen-
wogen hören. Wir wollen eine heimische, eine eigene,
eine nationale Welt von Empfindungstönen in der
Musik. Die Musik fordert einfache Motive, einfache
Handlung.« Hier ist also genau das verlangt, was
Wagner schuf. Aber sobald Vischer von diesen treff-
lichen allgemeinen Bemerkungen zu einem probeweisen
Entwurf des Nibelungenliedes als Oper übergeht, setzt
er sich zu seinen eignen Forderungen in grellen Wider-
spruch. Mit Recht nennt Chamberlain (Richard Wagner,

kleine Ausgabe 1901, S. 391) diesen Entwurf ein wunderliches Gemisch von richtiger Einsicht und künstlerischer Unfähigkeit. Vischers ganze Persönlichkeit ist eben, wie sein Verhältniß zu Goethes Faust beweist, ein wunderliches Gemisch von Scharfsinn und Beschränktheit, von künstlerischem Anschauungsvermögen und philisterhaft lächerlichem Gelehrtendünkel. So war er natürlich auch unfähig, die Erscheinung Rich. Wagners zu begreifen und die Ringdichtung, die ja unter seinen Augen in Zürich entstand, zu verstehen. Immerhin war Vischers Zeugniß hier zu erwähnen, zum Beweis, wie damals die besten Köpfe in lichten Augenblicken von tiefster Sehnsucht nach dem deutschen Drama erfüllt waren, das des Meisters dichterische Gestaltungskraft in ungeahnter Größe und Schönheit verwirklichte.

Was das von Wagner geschaffene Drama in seiner Ausdrucksform geschichtlich und künstlerisch bedeutet, haben Nietzsche und Chamberlain am besten gesagt. Die Größe Schillers und Beethovens vereinigt Wagner zur Erfüllung dessen, was beiden als höchstes Kunstziel vorschwebte. Wenn im Drama drei Dinge klar gestellt werden müssen, das erregende Gemütsmotiv, die Gebärde, das Wort, so bewältigt das gesprochene Drama nur die zwei letzten und macht beim Wichtigsten, beim Unaussprechlichen, Halt. Zweifellos ist aber das Seelische, Innerliche, das Wesentliche im Drama. Und gerade hier setzt Wagner, der Ton- und Wortdichter, ein, er baut in grunddeutscher Weise von innen nach außen im Besitze des erlösenden Ausdrucksmittels, nach dem die größten Wortdichter beim Drama vergeblich rangen, der Musik, die in höchster und reinster

Vollendung die Seele der Handlung und der Handelnden
unmittelbar zu gestalten vermag. Nietzsche schreibt:
»Alle diese Wirkungen zwingen Den, dem ein solches
Drama vorgeführt wird, zu einem ganz neuen Verstehen
und Miterleben, gleich als ob seine Sinne auf ein Mal
vergeistigter und sein Geist versinnlichter geworden
wären, und als ob alles, was aus dem Menschen heraus
will und nach Erkenntniß dürstet, sich jetzt in einem
Jubel des Erkennens frei und selig befände.« Daß
dieses deutsche Drama zugleich als Trilogie mit einem
Vorspiel erschien, also so wie es die dramatische Kunst
nur einmal zur Zeit der blühenden griechischen Kultur
erlebte, daß es als Festspiel ein eignes Festspielhaus
verlangte, daß es überhaupt die Gesetze seiner dar-
stellerischen und bühnenmäßigen Verwirklichung ganz
in sich selbst trug, ist nur die notwendige Folge seiner
alles überragenden Größe und Ursprünglichkeit.

Hier nur noch ein Wort zur Sprache und Vers-
form des Ringes. Wagner hat mit sicherem Gefühl
den ursprünglich aus dem Romanischen stammenden
Endreimvers aufgegeben, da er in der melodisch-
rhythmischen Vertonung kaum bemerkbar wird und
mithin eine überflüssige, vielleicht sogar störende
Zierat im Text des aus der Musik heraus gestalteten
Dramas ist. Er schreibt hierzu: »Als ich den Siegfried
entwarf, fühlte ich die Unmöglichkeit, diese Dichtung
im modernen Verse auszuführen. Somit mußte ich
auf eine andre Sprachmelodie sinnen; und doch hatte
ich garnicht zu sinnen nötig, sondern nur mich zu
entscheiden, denn an der urmythischen Quelle, wo
ich den jugendlich schönen Siegfriedmenschen fand, traf
ich auch ganz von selbst auf den sinnlich vollendeten

Sprachausdruck, in dem einzig dieser Mensch sich kundgeben konnte. Es war dies der, nach dem wirklichen Sprachaccente zur natürlichsten und lebendigsten Rhythmik sich fügende und zur unendlich mannichfaltigsten Kundgebung jederzeit leicht sich befähigende, stabgereimte Vers.« Ebenso wenig wie den Endreimvers konnte er aber die epische Stabreimzeile der altgermanischen Heldendichtung unverändert übernehmen, denn sie ist fürs Epos geschaffen und dessen Bedürfnissen angepaßt. Damals wußte man auch noch recht wenig von ihrem Bau. Ettmüllers Verse sind noch sehr unvollkommen, Simrocks Edda dagegen bedeutet einen entschiedenen Fortschritt im Bau neudeutscher Stabverse. Und diese beiden waren doch Wagners nächste Vorbilder. Jordan, der sich später so viel auf seine Kunst einbildet, macht fortgesetzt die gröbsten Schnitzer, sein Stabvers hat mit dem echten, altgermanischen Vorbild wenig gemein. Wagner erkannte, daß der Stabreim durchaus dem Wesen der deutschen Sprachbetonung angemessen ist, die Hauptwörter und Begriffe kräftig hervorhebt und Rhythmus und Melos im Satze bestimmt, mithin auch vorzüglich geeignet ist, den Sprachgesang zu stützen. Vor allem ist die freie Bewegung der unbetonten Silben, der Senkungen, im altdeutschen Vers ungemein vorteilhaft, indem dadurch Eintönigkeit ausgeschlossen bleibt und die Dichtung den wechselreichen Rhythmus der natürlichen Rede vollauf wahrt. Schon ein Blick in den Druck der Textdichtung lehrt, daß Wagner nicht die epische Langzeile, vielmehr die Kurzzeile zu Grunde legt. Wagner schafft sich einen durchaus neuen eigenartigen Vers, aber aus denselben Elementen, aus denen sich die stabreimende Langzeile zusammensetzte. Diese bindet zwei je zweihebige Kurzzeilen durch Stäbe zur vierhebigen dadurch in sich geschlossenen Langzeile zusammen. In der Edda finden sich auch dreihebige in sich selbst stabende Kurzzeilen neben der Langzeile. Wagner wendet zweihebige und dreihebige Kurzzeilen, die sich schon im Druck deutlich von einander abheben, in freier Reihenfolge an. Die Stäbe läßt er ohne feste Regel von einer Kurzzeile zur andern laufen. Sie erfüllen durchaus den Zweck des altgermanischen Stabreims, den Hauptbegriff zu betonen. Die rhythmische Gliederung ist genau dieselbe, die Sievers in fünf Haupttypen für den alten Stabvers nachwies; sie ergiebt sich aus der Folge von Hebungen und Senkungen in der natürlichen Rede. Im allgemeinen entspricht eine Hebung mit oder ohne Senkungen einem sogen. Versfuß. Wir finden Versfüße von einer, zwei und drei Silben. Die Zwei- und Dreisilbler können steigend oder fallend betont sein, auch eine Nebenhebung tragen. Es ist besonders reizvoll für den Kenner, zu beobachten, wie genau die Gesangsmelodie aus diesem Sprachrhythmus und Melos herauswächst. Die Kurzzeile paßt fürs Drama vorzüglich, die epische Langzeile wäre unbrauchbar gewesen. Es ist also ebenso einfältig, den Wagner'schen Vers mit der stabreimenden Langzeile zu vergleichen und aus der Verschiedenheit zu folgern, Wagners Verse seien falsch, als wollte man den Ring mit dem Nibelungenlied zusammen stellen und aus der Verschiedenheit gegen das Drama Vorwürfe erheben. Gerade in ihrer Eigenart beruht die Größe und Bedeutung der Neudichtung.

>»Wollt ihr nach Regeln messen,
>was nicht nach eurer Regeln Lauf,
>der eignen Spur vergessen,
>sucht davon erst die Regeln auf!«

Was die stilistische und poetische Seite der Sprache betrifft, so berufe ich mich für den philologischen Einzelbeweis auf die schöne und gründliche Untersuchung von Hans v. Wolzogen über die Sprache in Richard Wagners Dichtungen, Leipzig 1878, wozu Meinck in seinem oben erwähnten Buche und in den Bayreuther Blättern noch mancherlei Nachträge gab. In der »Allgem. Musik-Zeitung« 1888, S. 283 ff. und im Wagnerbuch S. 431 behandelte Chamberlain in geistvoller Weise das eigenartige Zusammenwirken von Wort und Ton. Schließlich kann ich nur Nietzsches Urteil über diese Sprache, die »sich aus einer rhetorischen Breite in die Geschlossenheit und Kraft einer Gefühlsrede zurückzog«, wiederholen: »Es geht eine Lust am Deutschen durch Wagners Dichtung, eine Herzlichkeit und Freimütigkeit im Verkehr mit ihm, wie so etwas, außer bei Goethe, bei keinem Deutschen sich nachfühlen läßt. Leiblichkeit des Ausdrucks, verwegene Gedrängtheit, Gewalt und rhythmische Vielartigkeit, ein merkwürdiger Reichtum an starken und bedeutenden Wörtern, Vereinfachung der Satzgliederung, eine fast einzige Erfindsamkeit in der Sprache des wogenden Gefühls und der Ahnung, eine mitunter ganz rein sprudelnde Volkstümlichkeit und Sprichwörtlichkeit — solche Eigenschaften würden aufzuzählen sein, und doch wäre dann immer noch die mächtigste und bewunderungswürdigste vergessen. Wer hinter einander zwei solche Dichtungen wie Tristan

und die Meistersinger liest, wird in Hinsicht auf
die Wortsprache ein ähnliches Erstaunen und Zweifeln
empfinden, wie in Hinsicht auf die Musik: wie es
nämlich möglich war, über zwei Welten, so verschieden
an Form, Farbe, Fügung, als an Seele, schöpferisch zu
gebieten. Dies ist das Mächtigste an der Wagnerischen
Begabung, etwas, das — allein dem großen Meister
gelingen wird: für jedes Werk eine neue Sprache aus-
zuprägen und der neuen Innerlichkeit auch einen neuen
Leib, einen neuen Klang zu geben. Wo eine solche
allerseltenste Macht sich äußert, wird der Tadel immer
nur kleinlich und unfruchtbar bleiben, welcher sich auf
einzelnes Uebermütige und Absonderliche, oder auf
die häufigeren Dunkelheiten des Ausdruckes und Um-
schleierungen des Gedankens bezieht.«

2

Das Rheingold.

ie Betrachtung des Rheingolds beginne ich mit einem Vergleich des ersten Entwurfs (1848) und der fertigen Dichtung, weil daraus die fortschreitende anschaulich plastische Gestaltung des Stoffes und das Hervortreten eines leitenden Gedankens, einer den Stoff beherrschenden und bestimmenden Idee unmittelbar deutlich wird.

»Dem Schooße der Nacht und des Todes entkeimte ein Geschlecht, welches in Nibelheim (Nebelheim), d. i. in unterirdischen düstern Klüften und Höhlen wohnt: sie heißen Nibelungen; in unsteter, rastloser Regsamkeit durchwühlen sie die Erde; sie glühen, läutern und schmieden die harten Metalle. Des klaren, edlen Rheingoldes bemächtigte sich Alberich, entführte es den Tiefen der Wässer und schmiedete daraus mit großer, listiger Kunst einen Ring, der ihm die oberste Gewalt über sein ganzes Geschlecht, die Nibelungen, verschaffte: so wurde er ihr Herr, zwang sie, für ihn fortan allein zu arbeiten, und sammelte den unermeßlichen Nibelungenhort, dessen wichtigstes Kleinod der Tarnhelm war, durch den jede Gestalt angenommen werden konnte, und den zu schmieden Alberich seinen eignen Bruder Mime gezwungen hatte. So ausgerüstet strebte Alberich nach der Herrschaft über die Welt und alles in ihr Enthaltene.

Das Geschlecht der Riesen, der trotzigen, gewaltigen, urgeschaffenen, wird in seinem wilden Behagen gestört: ihre ungeheure Kraft, ihr schlichter Mutterwitz reicht gegen Alberichs herrschsüchtige Verschlagenheit nicht mehr aus: sie sehen mit Sorge die Nibelungen wunderbare Waffen schmieden, die in den Händen menschlicher Helden einst den Riesen den Untergang bereiten sollen. — Diesen Zwiespalt benutzte das zur Allherrschaft erwachsende Geschlecht der Götter. Wotan verträgt mit den Riesen, den Göttern die Burg zu bauen, von der aus sie sicher die Welt zu ordnen und zu beherrschen vermögen; nach vollendetem Bau fordern die Riesen als Lohn den Nibelungenhort. Der höchsten Klugheit der Götter gelingt es, Alberich zu fangen; er muß ihnen sein Leben mit dem Horte lösen; den einzigen Ring will er behalten: — die Götter, wohl wissend, daß in ihm das Geheimniß der Macht Alberichs beruhe, entreißen ihm auch den Ring: da verflucht Alberich ihn; er soll das Verderben Aller sein, die ihn besitzen. Wotan stellt den Hort den Riesen zu, den Ring will er behalten, damit seine Allherrschaft zu sichern: die Riesen ertrotzen ihn, und Wotan weicht auf den Rat der drei Schicksalsfrauen (Nornen), die ihn vor dem Untergange der Götter selbst warnen.«

Schon im Entwurf bringt Wagner den Untergang der Götter mit dem Fluch des Zwerges in ursächlichen Zusammenhang und deutet damit auf die spätere Verknüpfung von Siegfrieds Tod und Götterdämmerung als den letzten und schwersten Folgen des verhängnißvollen Goldraubes hin. Die Quellen selber nehmen die Götter vom Fluch aus. Die von Wagner angenommene mythische Deutung der Nibelungen begründete Lachmann 1829 in seiner Kritik der Sage von den Nibelungen: »Beachten wir, daß in der Mythologie des Nordens Niflheimr und Niflhel der kalte Teil der Erde und die Wohnung der Verstorbenen genannt wird, so wird man schwerlich zweifeln: dies Geschlecht der Nibelungen ist ein übermenschliches aus dem kalten neblichten Totenreich, ihnen gehört der Schatz und sie bekommen ihn zurück.«

Wagners eigene Erfindung ist die Rheingoldsage. Wohl weiß die alte Sage davon, daß der Nibelungenhort schließlich im Rhein versenkt wurde, und die nordischen Skalden geben daher dem Gold dichterische Namen wie Flamme der Flut, Strahl der Tiefe, Wogenglanz u. s. w. Aber nirgends steht in den Quellen etwas davon, daß das Gold ursprünglich im Grunde des Rheins ruhte und von Alberich der Tiefe entführt wurde. Auch daß Alberich den Ring schmiedet, das Gold zum Zweck seiner Machtgier ausmünzt, steht nirgends in den Quellen. Von Andwaris Ring heißt es nur, daß er den Hort zu mehren vermochte, nichts verlautet von der Herkunft des Ringes. Doch spricht Lachmann davon, daß das Gold einst den dunkeln Geistern, den Nibelungen, angehörte, aus der Tiefe des Wassers heraufgeführt wurde und zu den dunkeln Geistern in die Tiefe des Rheins zurückkehrte. Hier mögen die Anregungen zu der neuen Sage liegen, deren Schöpfer Wagner wurde, wenn er das Gold zum Unheil aus dem Rhein auftauchen und zur Sühne in den Rhein zurücksinken läßt.

Für die Rheintöchter ziehe ich die Worte aus J. Grimms Mythologie S. 567 heran: »In unsrer Sprache sind die meisten Flußnamen weiblich, es werden also auch weibliche Flußgeister gewaltet haben. Niemals ist in einheimischer Ueberlieferung von einem Dämon des Rheins die Rede. In des Rheines Schooß liegen Schätze und Gold.« Die Namen der Nixen: Woglinde, Wellgunde, Floßhilde hat Wagner trefflich aus ihrer Art gebildet. Muster war ihm der für eine Nixe überlieferte Name Wâchilt, d. i. Woghilde.

Im ersten Entwurf geht die Handlung nur zwischen Göttern, Riesen und Zwergen vor. Mahnend erheben die Nornen ihre Stimme. Von einzelnen Gestalten finden wir nur Wotan und Alberich. Gegenstand des Strebens ist der Hort mit dem Ring und Tarnhelm, der oberste Macht verbürgt. Auf den Ring wird der Fluch gelegt. Die Vorgänge der Handlung haben sich noch zu keinen festen Bühnenbildern verdichtet.

1851 erfahren wir aus Briefen bereits einen großen Fortschritt. Wagner schreibt an Liszt: »Alberich kommt aus der Erdtiefe zu den drei Töchtern des Rheines herauf; er verfolgt diese mit widerlicher Liebeswerbung: von der einen abgewiesen, wendet er sich an die andere; alle verschmähen, scherzend und neckend, den Kobold. Da beginnt das Rheingold zu erglänzen; es reizt Alberich, er frägt, wozu es wohl gut sei? Die Mädchen bedeuten, es diene ihnen zu Lust und Spiel; sein Glanz erhelle mit seligem Geschimmer die Tiefe der Flut; viele Wunder aber könne der mit ihm wirken, Macht und Gewalt, Reichtum und Herrschaft durch das Gold gewinnen, der es zu einem Ringe zu zwingen wisse: nur aber, wer der Liebe entsage, verstünde das! Damit nun aber keiner das Gold raube, seien sie als Hüterinnen bestellt: wer ihnen nahe, begehre gewiß nicht das Gold; wenigstens sähe auch Alberich nicht danach aus, da er sich gar so verliebt gebahre. Sie lachen ihn von neuem aus. Da wird der Nibelung wütend: er schwört der Liebe ab, raubt das Gold und entführt es in die Tiefe.« Ferner an Uhlig:»Der Fang Alberichs, die Zuteilung des Goldes an die zwei Riesenbrüder, die schnelle Erfüllung von Alberichs Fluch an diesen Beiden, von denen der eine sogleich den andern erschlägt, bildet den Gegenstand dieses Vorspiels.«

Als ganz neues Motiv tritt jetzt die Liebesentsagung hinzu, »das gestaltende Motiv bis zu Siegfrieds Tod mit einer Fülle von Folgen«. Auf dem bleichen Metall haftet der Fluch der Lieblosigkeit, Gold tötet die Liebe. Mit dem Golde steigt die Machtgier ans Licht. Zugleich haben wir die plastisch geschaute Szene vom Raub des Rheingolds.

Nach Vollendung des Dramas (1854) schreibt Wagner an Röckel:»Des näheren verdichtet sich die unheilstiftende Macht, das eigentliche Gift der Liebe in dem der Natur entwendeten und gemißbrauchten Golde, dem Nibelungenringe: nicht eher ist der auf ihm haftende Fluch gelöst, als bis er der Natur wiedergegeben, das Gold in den Rhein zurückversenkt ist. Auch dies lernt Wotan erst ganz am Schlusse, am Ziele seiner tragischen Laufbahn erkennen; das, was Loge ihm im Anfang wiederholt und rührend vorhielt, übersah der Machtgierige am meisten.«

Im vollendeten Drama folgt nun das zweite Bild: die Märe vom Burgbau. Freia, Licht und Liebe, wird von den Riesen verlangt und entführt. Hier treten die Göttergestalten, Wotan und Fricka, Donner und Froh und die beiden Riesen, Fasolt der gutmütige und Fafner der bösartige, gegen einander auf, mit wenig Strichen und doch ganz sagenecht, klar und scharf gezeichnet; zwischen ihnen flammt und flackert Loge. Zwei Gipfel hat die Szene: den Liebeszauber bei Loges Erzählung von Weibes Wonne und Wert, und den Goldeszauber, dessen unheimlicher Macht selbst Wotan anheimfällt.

Das dritte Bild, die Märe von Alberichs Fang, zeigt uns Loges Neidspiel gegen Alberich, in Märchenformel gekleidet. Wie der gestiefelte Kater den Zauberer, der sich auf seinen Wunsch zuerst in einen Elefanten und dann in eine Maus verwandelt, überlistet, so bewegt Loge den Alberich zur Verwandlung in Riesenwurm und Kröte. Man beachte die großartigen Gegensätze: Wotans vornehm ruhige Zurückhaltung, Alberichs furchtbar drohende Gier, wie er sich den Ringzauber ausmalt, Loges Flammenspiel, das auch über diese Träume von Macht hinflackert. Die läuternde Flamme vermag ja Allem, der ganzen Welt ein Ziel zu setzen. In Alberichs Antlitz bricht zeitweise wie aus nächtiger Tiefe das Drohen der Vernichtung hervor, während auf den Zügen Loges der heitere Spott eines sein Ziel mit Sicherheit verfolgenden überlegenen Verstandes sich kund giebt.

Im vierten Bild erschauen wir Alberichs Fluch und seine Erfüllung an den Riesen, Freias Rückkauf. Eine düstre, schwüle Schuldstimmung ist durch Erdas Warnung in Wotans Seele gelegt. Der Gewitterzauber löst die Spannung, aus der Klärung blitzt das Schwert auf, das Sinnbild des Heldengedankens: Heldentum gegen Goldesmacht! So mündet das Vorspiel ins große dreiteilige Heldenspiel.

Die Handlung im »Rheingold« gewährt einen Blick in Wagners Schaffen. Zwei in der »Edda« völlig

getrennte Sagen sind von Wagner zu einer Einheit
verschmolzen worden, die vom Hort und Ring des
Andwari und die vom Burgbau.

Die Sage vom Hort berichtet: »Die Götter
Odin, Hönir und Loki kommen auf ihrer Wanderung
durch die Welt zu einem Wasserfalle, worin der Zwerg
Andwari in Gestalt eines Hechts sich Speise zu fangen
pflegt. Otr, Hreidmars Sohn, hat eben dort, als Fisch-
otter verwandelt, einen Lachs gefangen und verzehrt
ihn blinzelnd. Loki wirft Otr mit einem Steine tot,
und sie ziehen ihm den Balg ab. Abends suchen sie
Herberge bei Hreidmar und zeigen ihm den Fang.
Hreidmar und seine Söhne, Fafnir und Regin, greifen
die Götter und legen ihnen auf, zur Buße für Otr
und für Lösung ihrer Häupter den Balg mit Gold zu
füllen und auch außen mit Gold zu bedecken. Die
Götter senden Loki aus, das Gold herzuschaffen.
Loki fängt im Wasserfalle mit dem erborgten Netz
der Meergöttin Ran den Zwerg Andwari, und dieser
muß zur Lösung all sein Gold geben. Einen Ring
noch hält er zurück, aber auch den nimmt ihm
Loki. Da spricht der Zwerg einen Fluch über
das Gold aus, Verderben solle es jedem Besitzer
bringen. Die Götter leisten nun die Buße, und als
noch ein Barthaar der Otter hervorragt, bedeckt es
Odin, als Hreidmar verlangt, auch dies solle verhüllt
werden, mit dem Ringe. Loki verkündet Hreidmar
und seinen Söhnen Verderben. Fafnir und Regin ver-
langen von Hreidmar Anteil an der Buße, er weigert
es; dafür durchbohrt Fafnir den schlafenden Vater mit
dem Schwerte, nimmt alles Gold und versagt Regin
jeden Anteil. Auf Gnitaheide liegt er und hütet den

Hort in Gestalt eines Lindwurms, mit dem Schreckens-
helm bedeckt, vor dem alles Lebende zittert. Regin
aber sinnt auf Rache.«

Wagner setzt im Rheingold für die nordischen
Namen die deutschen ein, also Wotan für Odin,
Alberich für Andwari, Mime für Regin. Loki heißt
mit andrem Namen auch Logi, d. i. Lohe, also die
persönlich gedachte Flamme.

Die Sage vom Burgbau erzählt: »Einst kam
ein Werkmeister zu den Göttern und erbot sich, ihnen
in drei Halbjahren eine Burg zu bauen. Er verlangte
als Lohn Freyja zu erhalten, dazu Sonne und
Mond. Die Götter aber sprachen, er solle dieses
Lohnes verlustig sein, wenn am ersten Sommertage
irgend ein Teil der Burg nicht vollkommen fertig wäre;
auch dürfe ihm Niemand bei der Arbeit behülflich sein.
Er verlangte jedoch, daß ihm der Beistand seines Rosses
Swadilfari verstattet werde, und auf Lokis Vorschlag
wurde dies bewilligt. Er begann nun die Burg zu
bauen und führte bei Nacht auf seinem Rosse Steine
herbei, so daß es den Göttern ein Wunder schien,
welche Bergmassen er herbeischaffte. Das Roß that
doppelt so viel Arbeit wie der Werkmeister. Die
Burg ward stark und bereits so hoch, daß man kaum
hinaufsehen konnte, und drei Tage waren nur noch
übrig bis zu dem Zeitpunkte, an dem das Bauwerk
fertig sein sollte. Da gingen die Götter zu Rat und
einer fragte den andern, wer den Rat erteilt habe,
Freyja nach Riesenheim zu verheiraten und die Luft
zu verderben, da der Himmel dunkel werden würde,
wenn Sonne und Mond fortgenommen und den Riesen
ausgeliefert wären. Sie wurden darüber einig, daß

Loki es gewesen sei, der dazu geraten habe, und sie sagten ihm nun, er werde eines schlimmen Todes sterben, wenn er nicht Rat dafür schaffe, daß dem Werkmeister sein Lohn vorenthalten werde. Sie drangen heftig auf ihn ein, und da er in Furcht geriet, schwur er einen Eid, daß er es dahin bringen wolle, daß der Riese leer ausginge, es koste, was es wolle. Listig machte er dem Baumeister sein hülfreiches Roß abspenstig und da stockte die Arbeit. Als der Werkmeister sah, daß er den Bau zur gesetzten Frist nimmer fertig stellen konnte, geriet er in Riesenzorn, und als die Götter das sahen, wurden die geschworenen Eide nicht länger beachtet, sie riefen Thor an, der alsbald erschien, den Hammer schwang und so den Lohn für die Arbeit zahlte, daß er den Riesen tot schlug und zur Hölle sandte.«

Endlich kommt noch die Sage in Betracht, wie Loki Idun mit ihren goldenen Aepfeln an die Riesen verhandelte, aber von den in ihrer Lebenskraft bedrohten Göttern gezwungen wird, sie wieder zurück zu holen.

Alle diese Sagen haben gemeinsam den Grundgedanken, daß die Götter durch Lokis Schuld von den Riesen geschädigt und aus dieser Verlegenheit durch Lokis List wieder befreit werden. Wagners Freia, die Pflegerin der Aepfel, vereinigt Freyja und Idun: mit Recht, denn wir haben hier nur zwei verschiedene Namen einer und derselben Göttin. In Freia wird die Liebes- und Lebenskraft des Götterstammes persönlich. Wagner erkennt und benutzt den Sinn der nordischen Mythen, daß die feindseligen Riesen eben mit Freias Raub den Bestand der Götter-

welt gefährden. Loge, der freilich über den Loki der
»Edda« eben so sehr hinauswuchs, wie etwa Goethes
Mephisto über den des Faustbuches, nimmt sagenecht
die Zwitterstellung zwischen Göttern und Riesen ein.
Die Hort- und Burgsage vereinigt Wagner dadurch,
daß der Hort nicht mehr als Mordbuße gezahlt wird,
vielmehr als Entschädigung statt Freia, deren blühende
Gestalt den Blicken der Riesen durch den gehäuften
Hort verdeckt werden soll. So vereinigen sich beide
Sagen zu einer einzigen, die zugleich den Ideengang
veranschaulicht: Liebe giebt Wotan aus Herrsch-
sucht daran, Liebe kauft Wotan um verfluchtes
Gold zurück. Wohl kehrt Freia in den Kreis der
Götter zurück; aber der Fluch der bösen Thaten wirkt
fort, das Gold ist in die Welt gekommen. Da entspringt
in Wotans bangender Seele ein neuer Gedanke:
Walhall grüßt er mit dem Schwert, Heldentum
gegen Goldesmacht! Der freie furchtlose Held soll
wirken, was dem Gotte verwehrt ist, den Liebesfluch
lösen. So mündet das Vorspiel »Rheingold« in's
Wälsungendrama. Wotan weist sein Erbe an die
Helden. Von solchem Gedankengang wußten Wagners
Vorlagen nur Einzelnes, nichts Einheitliches und Zu-
sammenhängendes. Hier also treten die Sagen unter
ganz neue Ideen.

Neu im »Rheingold« kam Erda hinzu. Diese
neugeschaffene Gestalt ist einerseits die in der »Edda«
genannte Jord, die Erdgöttin, andererseits die Seherin
der Wöluspa, die in einem großartigen Eddalied Odin
der Götter Ende weissagt. An wirkungsvollster Stelle
wußte Wagner diese Gestalt einzufügen. Neu sind
ferner die Rheintöchter. Ihr Ursprung liegt im

Nibelungenlied, in den Wasserfrauen, die Hagen der Nibelungen Not vorhersagen. Wagner übertrug die Szene zunächst auf Siegfried (3. Aufzug »Götterdämmerung«). Aber welch' ungeahnten Hintergrund erhielt diese Szene, wenn Wagner die Wasserfrauen zu denselben Rheintöchtern machte, denen Alberich das Gold einst geraubt, deren rührende Klagen am Schlusse des »Rheingolds« aus traulich treuer Tiefe heraufdringen und Siegfrieds Rheinfahrt (Vorspiel zum 1. Aufzug »Götterdämmerung«) begleiten!

Die Götter im »Rheingold«, oft nur mit wenigen Strichen aber völlig quellentreu*) gezeichnet, schreiten gleichsam durch mythologische Urzeugung unmittelbar aus der Natur hervor. Das Bayreuther Festspiel von 1896 machte diesen Vorgang durch die überaus malerische Wirkung einfacher Grundfarben in den Gewändern und ohne jede vordringliche Absicht unmittelbar anschaulich. Ein Blick in die Quellen belehrt, wie genau die Schilderung im »Rheingold« der alten Ueberlieferung entspricht. Wotan ist der mächtigste unter den Göttern, alle anderen sind ihm unterthan. Wotan ist gedacht in der Gestalt des germanischen Heerkönigs, blühend in Schönheit und Kraft, geistgewaltig und ratklug. Seine Faust umspannt den mächtigen Speer, in dessen Schaft Vertragsrunen eingeschnitten sind. Schön und schrecklich ist der einäugige Gott anzuschauen. Wenn er zum Kampfe ausfährt, reitet er unter dem goldenen Adlerhelm und in goldener Brünne.

---

*) Für die einzelnen Götter und Geister, aus deren Art Wagner stets das Wesentliche ungemein plastisch herausgreift, verweise ich auf mein Handbuch der germanischen Mythologie, Leipzig 1895.

Aber er kehrt auch als Greis in grauem Gewand und weitem blauem Mantel, mit dem Schlapphut bedeckt, unter den Menschen ein. Die drei Wotanfigurinen in Rheingold, Walküre und Siegfried, wie sie überaus feinsinnig im Bayreuther Festspiel 1896 festgestellt wurden, geben aufs anschaulichste alle Erscheinungs-formen des Gottes, wie die Germanen als Herrscher, Heerfürst und einsamen Wanderer ihn sich dachten, wieder. Donner, mit nordischem Namen Thorr, ist eine Heldengestalt im wallenden Rotbart. Seine Waffe ist der Hammer, der im Blitzschlag krachend nieder-fährt. Seine Hauptaufgabe ist, Riesen und Trolle niederzuschmettern und durch die Bekämpfung der in den Elementen verderblich wütenden Naturgewalten den Bestand der Welt zu schützen. Genau so erscheint er auch im Rheingold, wie er gegen die Riesen mit erhobenem Hammer losgeht und im Gewitter den Himmel hell fegt. Froh, Freias Bruder, waltet über Frieden, Fruchtbarkeit und Sonnenschein. Nur wenig tritt er im Rheingold hervor und doch durchaus seiner Art gemäß, wenn er nach dem Gewitter der leuchtenden Regenbogenbrücke über das Thal hinweg zu der im Abendstrahl erglänzenden Burg die Bahn weist. Die germanischen Göttinnen erscheinen in drei Typen: Fricka verkörpert die sorgende Hausfrau, Freia das leichte, lichte, liebende Mädchen, Erda die große ernste Lebensmutter, aus deren Schooß alles aufsprießt, zu der alles zurücksinkt. Leben und Tod sind ihr unterthan. Darum erhebt sie aus tiefem Wissen ihre mahnende Stimme. Fricka ist die strenge Hüterin der Ehe, Freia entflammt die Herzen zur Liebe, Erda ist die weise Seherin.

Zwischen Göttern und Naturgeistern inmitten steht Loge, der Feuergeist. In den nordischen Sagen ist Loge das leise Verderben, das rastlos unter den Göttern umherschleicht. Dieses sein stille zehrendes Wirken wird als List und Trug, als boshafter Rat dargestellt, wodurch er die von ihm getäuschten Götter in Schaden und Unfall führt. Wagner steigert Loges Wesen, das er einheitlich und völlig aus der Feuernatur des Gottes zu ungemeiner geistiger Bedeutung entwickelt. Loge schweift geschmeidig zwischen den andern durch, gleich der Flamme, die den Stoff streift, den sie verzehren will. Loge ist beweglich, sorglos, spöttisch, überlegen. Er ist aber auch das böse Gewissen der ganzen in Glanz und Pracht vor uns stehenden Götterwelt. Sein Flammenspiel wirft plötzlich grelle Lichter auf die Umgebung; blitzartig mit starken Schlagschatten werden die Gegenstände erhellt. Aus dem unsicheren Flackerlicht steigt auf Augenblicke eine Stichflamme auf, zwei verborgene Seiten von Loges Wesen andeutend, die läuternde, so zu sagen moralische, und die vernichtende Kraft des Feuers. So ist Loge allein im Stande, dreimal rührend und mit Wärme Wotan vor Unrecht zu warnen und ihm das Recht zu weisen. Und sein dämonischer Vernichtungtrieb bricht ebenso stellenweise, besonders am Schlusse, unversehens hervor, um sofort wieder von der Oberfläche zu verschwinden. Loge ist die allerwichtigste Gestalt im Rheingold, überhaupt eine der genialsten dichterischen Schöpfungen. Dem Darsteller ist hier eine außerordentlich hohe und dankbare Aufgabe gestellt.

Von Elementargeistern begegnen neben Loges Feuerwesen Riesen, Zwerge, Nixen. Unter den Riesen

3

stellt sich die Volkssage ungeschlachte, große, unbändig wilde und starke Gesellen vor. Sie sind gutmütig und treu und lassen sich daher leicht überlisten; aber auch bösartige und gewaltthätige Riesen begegnen oft. Der gute Fasolt und der böse Fafner zeigen vortrefflich diese beiden Seiten der Riesenart. Die nordische Sage kennt nur einen Riesenbaumeister, den Wagner nach dem Hüter des Hortes Fafner nennt. Den Namen Fasolt fand Wagner in völlig anderem Zusammenhang in J. Grimms Mythologie. Er führte ihn ein, um den erwähnten Gegensatz guter und böser Riesenart zu schildern. Auch die Zwerge sind zweideutig, bald gutmütig und einfältig, bald tückisch und boshaft. Dasselbe Widerspiel wie bei den Riesen Fasolt und Fafner begegnet bei den Zwergen Mime und Alberich. Mime erscheint im Rheingold noch harmlos und täppisch. Erst Alberichs Zwang und die Goldgier verwandeln ihn zum hinterlistigen Schleicher und Schädling, wie er im »Siegfried« auftritt. Alberich als Nibelungenherrscher mit der Geißel und dem Tarnhelm ist dem Nibelungen- lied entnommen, wodurch der in der Edda nur wenig hervortretende Andwari eine scharf ausgeprägte Persön- lichkeit erhielt. Seine Verwandtschaft mit Mime hat Wagner erfunden. Daß der Tarnhelm nicht bloß un- sichtbar, sondern auch verwandlungsfähig macht, ist Lachmanns Vermutung, die sich auf Sigurds und Gunnars Gestaltentausch beim Ritt durch die Waber- lohe gründet.

Die Rheintöchter sind die Wasserminnen der Volkssage, deren berückender Schönheit viele Männer zu ihrem Verderben verfallen. In anmutigem Wellenspiel tauchen sie auf und nieder. Sie sind so beweglich und fließend wie das Wasser, gefährlich und harmlos zugleich. Die Elemente sind jenseits von Gut und Böse. So ist auch die Tiefe traulich und treu im Vergleich zu den wilden und thörigen Leidenschaften der Götter und Menschen. Feuer und Wasser sind Gegensätze und doch im Volksglauben auch verwandt. Gemeinsam ist beiden Elementen die Beweglichkeit und das zwiespältige, bald freundliche, bald feindliche Verhältniß zum Menschen, gemeinsam haben beide die reinigende, läuternde Kraft. So fühlt sich Loge zu den Rheintöchtern insgeheim hingezogen. Und wenn er am Schlusse zu den Nixen niederschaut und dann wieder den Blick zu den Göttern erhebt, deren trugvolle Pracht dereinst in seinen Flammen vergehen wird, da sehen wir bereits die beiden Elemente zum geheimen Bund vereinigt, die nach dem Glauben der Nordleute am jüngsten Tag die Welt in Feuer und Fluten vernichten, aber aus den Wogen auch zu neuem, besserem Dasein erheben werden.

So erscheint uns das Rheingold im Ganzen und Einzelnen als eine wundervolle, auch im kleinsten Zug anschauliche künstlerische Verklärung und Vertiefung altgermanischer Göttersage.

Natürlich bedarf ein solches Werk auch feinsinnigster szenischer Darstellung, damit die vom Dichter so unvergleichlich lebensvoll geschauten Bilder und Vorgänge deutlich vor unsern Augen erscheinen. Eine verständnißlose Inszenirung bringt das Rheingold von vornherein um den besten Teil seiner Wirkung.

Die großartigen, stimmungsvollen Szenenbilder beruhen durchaus auf Wagners eigenster Erfindung. Einen sommerlangen Tag erleben wir im Rheingold.

3*

Die ersten Sonnenstrahlen fallen durch den grünen Wogenschwall zur Tiefe und wecken des Rheingolds lichten Schein, und droben beleuchtet der hervorbrechende Tag mit wachsendem Glanze die blinkenden Zinnen der Burg. Mit Freia schwindet Licht und Leben. Fahle Nebel, Wolkendämpfe verschleiern den Mittagshimmel. Solange Wotan und Loge zu Nibelheims nächtlicher Tiefe fahren, verdüstert sich der Himmel immer mehr, gen Abend schwebt schwüles Gedünst in der Luft. Das bleiche Gewölk sammelt Donner zu blitzendem Wetter, das den Himmel hell fegt. Nach dem Gewitter zieht sich mit blendendem Leuchten der Regenbogen übers Thal zur Burg, die jetzt endlich wieder entwölkt und von der Abendsonne beschienen in hellstem Glanze erstrahlt.

Richard Wagner hat aus der Verschmelzung verschiedener alter Sagen in der eigenartigen Form seines deutschen Dramas eine auf die tief erregenden Gegensätze von Gold und Liebe begründete tragische Handlung gewonnen, in der wir die volle Deutlichkeit der Idee und die plastische Anschaulichkeit der äußeren Vorgänge bewundern. Selbst die größten Dichter sind beim Betonen und Hervorheben der Idee ins Allegorische und Abstrakte verfallen, bei Wagner aber steigert sich mit der Idee zugleich die Gestaltungskraft. Er ist, wie Chamberlain einmal treffend sagt, das mächtigste plastische Genie, das je unter den deutschen Künstlern erstand, er hat aus tiefstem Schauen einzig wirkungsvoll gestaltet.

Die Walküre.

us zwei Sagen fügt sich die »Walküre«, aus der Sigmundsage bezw. der Volsungasaga und aus der Brünnhildsage. In den nordischen Quellen besteht kein Zusammenhang dieser beiden Geschichten. Die Volsungasaga erzählt von Sigurds Ahnen. Von Odin, dem Ahnherrn des Geschlechts, stammte König Volsung, der mit seiner Gattin, einer Walküre, zehn Söhne, darunter Sigmund, und eine Tochter, Signy, hatte. König Volsung ließ eine stattliche Halle bauen; mitten drin stand ein mächtiger Baum, dessen Zweige über das Dach hinausragten und es überschatteten, während der Stamm im Grund der Halle wurzelte. Als Signy, gegen ihre Neigung, dem König Siggeir vermählt wurde und die Gäste abends an den Feuern umhersaßen, trat ein Mann in die Halle, der von Aussehen allen unbekannt war. Er war groß, alt und einäugig, von geflecktem Mantel umwallt, der breite Hut hing ihm tief ins Antlitz. In der Hand trug er ein blankes Schwert, das er bis ans Heft in den Baumstamm stieß. Alle scheuten sich, ihn zu begrüßen; er aber sprach: »Wer dies Schwert aus dem Stamme zieht, der soll es von mir zur Gabe haben; er wird selbst erproben, daß er nie ein besseres Schwert führte«. Hierauf ging der Greis aus der

Halle und Niemand wußte, wer er war oder wohin er ging. Die Männer standen nun auf und beeiferten sich, das Schwert herauszuziehen, aber keinem rückte das Eisen von der Stelle. Zuletzt trat Sigmund hinzu und zog das Schwert aus dem Stamm, so leicht, als wäre es los vor ihm gelegen. Siggeir, sein Schwager, wollte es ihm dreifach mit Gold aufwägen. Sigmund aber sagte: »du konntest es nicht minder nehmen als ich, wenn es dir zu tragen ziemte«. Daraus erwuchsen bald darauf Zwietracht und Verrat unter den Verwandten; König Volsung fiel in blutiger Schlacht gegen seinen Eidam Siggeir, seine Söhne wurden umgebracht. Nur Sigmund wurde von Signy gerettet. Sigmund und Signy sannen auf Rache. Sigmund hauste verborgen im Walde draußen, einsam und unerkannt. Als Signy ihre beiden Söhne von Siggeir zum geplanten Rachewerk untüchtig erkannt hatte, da sah sie ein, daß nur ein echtester Volsung, der von Vater- und Mutterseite Volsungenblut hatte, als Rachehelfer tauge. Verkleidet ging sie zu Sigmund hinaus und empfing von ihm, der die Schwester nicht erkannte, den starken Sinfjotle, den sie hernach zu Sigmund hinaussandte, damit er ihn im Heldentum erziehe. Sigmund und Sinfjotle führten lange das Leben des friedlosen Aechters, der wie ein Wolf im wilden Walde gehen mußte. Die Sage stellt das so dar, als wären Sigmund und Sinfjotle eine Zeit lang in Werwölfe verwandelt gewesen. Endlich machten sie sich zur Rache an Siggeir auf. Sie bargen sich, günstiger Gelegenheit harrend, im Vorhause der Königshalle, wurden aber ergriffen und lebendig begraben. Signy warf ihnen das Odinschwert in die steinerne Grabkammer.

Damit zersägten sie die Felsen und machten sich frei. Zur Nacht legten sie Feuer an die Königshalle und wehrten den Leuten den Ausgang. So kam Siggeir in den Flammen um. Signy blieb, zur Sühne ihrer Schuld, beim Gatten, den sie nie geliebt und dessen Untergang sie selbst herbeigeführt hatte, im brennenden Hause und fand so den Tod.

In dieser Geschichte herrscht eine Wildheit, die auf das höchste Alter deutet. Sie stammt wol aus der heidnischen Urzeit der Franken. Ihre Tragik liegt darin, dass die sittlichen Ideale der Germanen sich furchtbar verwirren, daß höchste Treue nur durch Untreue geübt werden kann. Uhland wies nach, daß der Grundgedanke germanischer Heldensage die Treue ist. Alles Gute entspringt aus Treue, alles Böse aus Untreue. Gerade bei den Franken zeigt sich Treue und Untreue in seltsamem Widerspiel. Diese Gegensätze durchziehen Leben und Dichtung des Volkes. Rein und schuldlos bleibt nur der, der in Gesinnung und Tat stets an der Treue festhält, wie etwa der gotische Dietrich; aber in Schuld verstrickt und dem Verderben geweiht ist, wer, sei es auch aus bester Gesinnung, zu untreuen Handlungen greift. Sigmund und Signy sind treu dem Heiligsten, der Sippe. Ungern scheidet das Weib aus dem Band der Sippe; in Siggeirs feindlicher Gewalt fühlt sie sich noch immer den Volsungen verpflichtet; und die erste Pflicht ist Blutrache. Signy entsendet zuerst ihre Söhne, die sie von Siggeir hat, zu Sigmund, aber sie erweisen sich zu schwach zum Rachewerk. Da keimt in Signys Brust der Gedanke, daß der echteste Volsung, dem von Vater- und Mutterseite nur reines Volsungenblut

in den Adern fließe, auch der stärkste Held sein, daß
in ihm gleichsam der Rachegedanke lebendig werden
müsse. Die Volsungen (vgl. gotisch walis, auserwählt,
echt) heißen die Echten und Sinfjotle ist auch seiner
Art nach der echteste Sproß. Doch der Sippe Rettung
und Rache geschah durch den Bruch der unverletz-
lichen Sippenbande; denn die Geschwisterehe gilt der
Sage als Verbrechen. Zudem brach Signy ihre Ehe
mit Siggeir. Aber noch ragt die urzeitliche Auffassung
herein, daß Bruder und Schwester die reinste Sippe
erzeugen. So bestreiten sich zwei im Grunde große
und edle, aber unversöhnliche Gedanken gegenseitig.
Die Sippe fordert den blutechten Sprößling, der allein
zur Rache fähig ist, und sie verflucht ihn, weil sein
Ursprung die Sippe schändet. Sigmund und Signy
halten ihrem Geschlecht furchtbare Treue und sie
zerstören mit untreuester Tat der Sippe Ehre und
heilige Satzungen.

In der Walküre treten Sieglinde und Siegfried für
Signy und Sinfjotle ein. Hunding übernimmt die Rolle
des Siggeir. Hunding hat seinen Namen von einem
in der Volsungasaga später genannten Feind Sigmunds.
In Hundings Hause erscheint Siegmund als Wehwalt
der Wölfing, als der friedlose, wehbelastete Wald-
gänger. Der Neidinge Schaar hat ihm Haus und Sippe
vernichtet. Freudlos ist sein Leben und Unheil lastet
immer auf ihm. Auch Hunding kündet ihm Fehde.
Waffenlos fiel er in Feindes Haus. Da traf ihn der
Blick des Weibes, in heiligster Minne höchster Not
verbinden sich Schwester und Bruder, dem Waffe und
Weib bestimmt. Durch Wotans Fügung finden sich
die Geschwister; der Gott führt sie zusammen und

entzündet ihre Liebe, den ersten warmen Sonnenblick, der in ihr dunkles Dasein fällt. Nicht eigene bewußte Absicht, wie in der alten Sage, sondern Schicksalsschluß und Sehnsucht nach Liebe vereinen Siegmund und Sieglinde. Das Gefühl des Sippebruchs kommt ihnen nirgends zum Bewußtsein, obwol sie als Geschwister sich erkennen. Nur den Ehebruch ersieht und fürchtet Sieglinde, als sie vor Hunding ins Gebirg fliehen. Der alte Entwurf hielt sich in diesem Punkte an die Sage: »Im Geschlecht der Wälsungen soll der freie Held geboren werden: eine unfruchtbar gebliebene Ehe dieses Geschlechts befruchtete Wotan durch einen Apfel Holdas, den er das Ehepaar geniessen ließ: ein Zwillingspaar, Siegmund und Sieglinde (Bruder und Schwester) entspringen der Ehe. Siegmund nimmt ein Weib, Sieglinde vermählt sich einem Manne (Hunding); ihre beiden Ehen bleiben aber unfruchtbar. Um einen echten Wälsung zu erzeugen, begatten sich nun Bruder und Schwester selbst. Hunding, Sieglindes Gemahl, erfährt das Verbrechen, verstößt sein Weib und überfällt Siegmund mit Streit.« In der Walküre ist Wotan als Wälse der Vater der Zwillinge, er steht ihnen also viel näher, als in der Volsungasaga und im Entwurf, wo er Ahnherr des Geschlechts ist. Aber im Drama vollführen sie nur unbewußt, aus freier Liebe, seinen Willen.

Der Streit um den Sippebruch kommt daher auch nicht unter den dieses Frevels unbewußt handelnden Menschen, sondern zwischen Wotan und Fricka zum Austrag. In des Gottes Hand steht die von ihm entsprungene Sippe; er muß ihre Helden schützen und ihre Rache fördern. Die Wahrung und Kräftigung der blutechtesten Sippe trotzt allen anderen Rücksichten. Wie ein wilder Gedanke aus der Urzeit ragt Wotans Wunsch herein, die Blutsverwandten unter sich zur Gewinnung der reinsten Art zu verbinden. Aber Fricka waltet der Ehe. Die Geschichte der Menschheit lehrt, daß mit der Festigung der Ehe eine neue sittliche Ordnung aufkam. Sippe und Ehe geraten oft feindlich an einander. Man denke nur an Kriemhild in deutscher Sage, die, um Sigfrid zu rächen, ihr eigen Geschlecht verdirbt, während umgekehrt Gudrun im Norden den Tod ihrer Brüder an Atli, ihrem Gatten, rächt. Daß Fricka, der Ehe Hüterin, Wotan den Frevel an Sippe und Ehe vorhält, hat einen tiefen Sinn. Der Ehe eignet gleiche Heiligkeit wie der Sippe, eine neue Weltanschauung verlangt ihr Recht gegen die wilden zügellosen Einbrüche der Vergangenheit. Das Zwillingspaar beging schwerste Untat an Sippe und Ehe und verfällt damit dem Tode. Das ist freiester Liebe furchtbarstes Leid. Treu ihrer Art handeln Siegmund und Sieglinde untreu an allem andern. Dieselben Motive, wie in der Urquelle, bestimmen den Gang der Ereignisse bei Wagner, nur muß man zum vollen Verständniß Wotan-Siegmund und Fricka-Sieglinde zusammen nehmen, in der Walküre eine Handlung mit unbewußtem Verhängniß, in der Sage aus festem Entschluß mit bewußter Schuld und Sühne. Was Signy denkt und ausspricht, lenkt in der Walküre das Schicksal, die Gottheit; der göttliche Wille wirkt in den Menschen nur als dunkler Trieb. Und das ist wahrer, natürlicher. Viel schöner und herrlicher dünkt uns die aufblühende Liebe, die vor jähem Gewittersturm hinsinkt, als die erwägende, den Bruder täuschende und dann zur Sühne sterbende Signy.

Für Wotan bedeutet das Gespräch mit Fricka, wo zwei unversöhnliche Weltanschauungen, die der zügellosen Freiheit und der gesetzlichen Gebundenheit, schroff einander entgegentreten, noch etwas besonderes. Am Schlusse des Rheingolds hatte er mit großer Gebärde ein Schwert gegen das von der Abendsonne bestrahlte Walhall erhoben:

> So grüß ich die Burg,
> sicher vor Bang und Graun!

Das freie stolze Heldentum, das zu schaffen, zu wahren und zu stärken Wotan in diesem Augenblick beschließt, wird mit dem Sinnbild des Schwertes der fluchfertigen knechtenden Goldesmacht gegenüber gestellt. In der Walküre vollzieht sich der erste Teil des tragischen Heldenspiels. Wotan hat den Wälsungenstamm, das Zwillingspaar gezeugt. Im wilden Leiden soll Siegmund zu ureigner Stärke erwachsen:

> Not tut ein Held,
> der, ledig göttlichen Schutzes,
> sich löse von Göttergesetz!

Ein von den Göttern selbst unabhängiger, freier Heldenwille, der im Menschen erstehen soll, kann allein den im Ring verkörperten Fluch lösen. Wotan hat den Helden ins Leben gerufen und den Walküren das Amt zugewiesen, in Streit und Sturm das Heldentum zu schaffen. Fricka aber bringt Wotan zum Bewußtsein, daß Siegmund nicht der ersehnte freie Held ist:

> »Du schufst ihm die Not,
> wie das neidliche Schwert!«

Vor dieser schmerzlichen Erkenntniß bricht der
Gott in ohnmächtigem Grimm zusammen; er sieht,
daß Siegmund sein Geschöpf ist, daß er, der Gott,
einen Freien nicht wollen kann:

»Denn selbst muß der Freie sich schaffen!«

Von Odin wird in den nordischen Sagen oft
erzählt, daß er Segen und Sieg von den Helden, die
er einst damit begabte, am Ende ihrer Laufbahn wieder
zurücknahm. Der Günstling des Gottes muß eben
doch den Waltod sterben, schon um nach Walhall
einzugehen. Von Sigmund wird erzählt, daß er sich
im Alter mit Hjordis vermählte. Ein verschmähter
Freier der Hjordis, ein Sohn König Hundings, überzog
Sigmunds Land mit Heeresmacht. Es kam zur Schlacht.
Sigmund schlug breite Gassen durchs Heer der Feinde.
Da trat ihm ein einäugiger Greis mit breitem Hut und
blauem Mantel in den Weg und schwang ihm einen
Speer entgegen. Sigmund hieb mit seinem Schwert
auf den Speer, da sprang das Schwert entzwei. Damit
war Sigmunds Glück gewichen, er fiel mit dem größten
Teil seines Heeres. Hjordis kam Nachts aufs Walfeld,
fand dort den schwer wunden Helden und fragte, ob
er noch zu heilen sei. Sigmund sagte: »Odin will
nicht, daß ich das Schwert länger schwinge; du aber
wahre die Schwertstücke wohl; du trägst einen Knaben,
der wird das neugeschmiedete schwingen und manch
Heldenwerk damit vollbringen, und sein Name wird
erhaben sein, so lang die Welt steht.« Mit dem
Tagesgrauen starb Sigmund. Hjordis aber gebar bald
darauf einen Knaben von solcher Gestalt und Schöne,
daß alle einstimmig sagten, das Kind werde ein Held

ohne Gleichen werden. Der Knabe mit den scharfen
Augen wurde Sigurd genannt.

Im Volsungenstamm vererbt sich ein besonderes
Mal im Auge, nach dem Sigurds Enkel, Ragnars Sohn,
Sigurd Schlangenauge heißt. Seine Mutter verkündet:
»Das Kind, das ich unter meinem Herzen trage, wird
ein Knabe sein und an ihm wird man das Zeichen
finden, daß es scheint, als ob eine Schlange um sein
Auge liege.« Und es wird gesungen:

>Man sieht an keinem Knaben,
als einzig nur an Sigurd,
im Augensteine mitten
die Schlang in Ringen liegen,
drum soll vom Augenwurme
der Sohn das Beiwort haben.<

Darum sagt Hunding von Siegmund:

Wie gleicht er dem Weibe!
Der gleißende Wurm
glänzt auch ihm aus dem Auge.

Die Brünnhildsage aber berichtet: Als Brünnhild
aus dem Zauberschlafe erwachte, erzählte sie Sigurd,
daß zwei Könige mit einander gekämpft hätten: der
eine hieß Hjalmgunnar und war ein gewaltiger Krieger,
obwohl er schon recht bejahrt war, und Odin hatte
ihm Sieg versprochen; der andre aber hieß Agnar,
den niemand schirmen und schützen wollte. Brünnhild fällte den Hjalmgunnar, aber Odin stach sie dafür
mit dem Schlafdorn und bestimmte, daß sie niemals
wieder in der Schlacht Sieg erkämpfen, sondern sich
vermählen solle. »Ich aber erwiderte ihm, daß ich
meinerseits ein Gelübde ablege, daß ich keinem Manne
mich verloben werde, der sich fürchten könne.« Da

umzog Odin die Schlafende mit einem Zaun von
Schilden und ließ außen herum Feuer auflodern und
beschied nur dem Furchtlosen, das Feuer zu durch-
dringen und den Schlafzauber zu lösen.

Auf diesen wenigen Worten der alten Sage baut
sich Brünnhilds Verhältniß zu Siegmund und Wotan
im zweiten und dritten Aufzug der Walküre auf.

>Tod kündend
trat ich vor ihn.
Ich vernahm des Helden
heilige Not.
Meinem Ohr erscholl,
mein Aug erschaute,
was tief im Busen das Herz
zu heiligem Beben mir traf.
Scheu und staunend
stand ich in Scham:
ihm nur zu dienen
konnt ich noch denken:
Sieg oder Tod
mit Siegmund zu teilen —
dies nur erkannt ich
zu kiesen als Los!

Im gewaltgen Sturm des Mitleidens ist das Wotans-
kind zum liebenden Menschenweib gewandelt, wie es
so herrlich die Todkündung im zweiten Aufzug schildert:
sie liebt Siegmund, weil er in höchster Not verlassen
ist, weil kein Wesen ihn schirmen und schützen
wollte. Und Wotan, da sie seinem Gebot getrotzt,
straft die Maid:

>Nicht send ich dich mehr aus Walhall
nicht weis ich dir mehr
Helden zu Wal,

nicht führst du mehr Sieger
in meinen Sal.
Die magdliche Blume
verblüht der Maid;
ein Gatte gewinnt
ihre weibliche Gunst:
dem herrischen Manne
gehorcht sie fortan,
am Herde sitzt sie und spinnt,
aller Spottenden Ziel und Spiel.

Aber als Wotans Grimm sich sänftigt, als die
Tochter in höchster Angst zu ihm fleht, des eignen
Werts nicht zu vergessen:

>Nicht wertlos sei er,
der mich gewinnt.

— — — — — — —

Auf dein Gebot
entbrenne ein Feuer;
den Fels umglühe
lodernde Gluth:
es leck ihre Zunge,
es fresse ihr Zahn
den Zagen, der frech es wagte,
dem freislichen Felsen zu nahn!< —

da weckt Wotan ein Feuer aus dem Gestein, daß
es den Zagen mit zehrendem Schrecken scheuche,
daß nur der furchtloseste Held die Braut sich freie.
Die tiefe Gefühlswelt, die gewaltigen Seelenstürme,
die hinter den schlichten Worten der alten Quelle
liegen, hat die Walküre in wahrhaft ergreifender Weise
uns vorgeführt. Darin bewährt sich der Dichter, dass
er in die Tiefe der Seelenstimmung blickt. Rein mensch-
liche Gefühle werden hier angeregt. Das Wunderbare
liegt darin, daß die wenigen Worte, die wir als den

4

Keim der Walküre betrachten müssen, andrerseits
wieder genau als das Ergebniss des ganzen Dramas
erscheinen, als hätte der Dichter nur längst Verlorenes
wieder gefunden.

Die Volsungasaga und Brünnhildsage hat Wagner
dadurch vereinigt, daß Sigmund und Siggeir, Agnar
und Hjalmgunnar in Siegmund und Hunding verschmolzen sind. Sieglinde und Siegfried treten für
Signy und Sinfjotle ein. Nun entscheidet Brünnhild
in der Fehde zwischen Siegmund und Hunding gegen
Wotans Gebot. Auf die einfachste Weise ist engste
Verbindung hergestellt, im neuen Rahmen gewinnen
beide Stoffe an Bedeutung und Vertiefung. Wie farb-
los sind für uns die Namen Hjalmgunnar und Agnar,
deren Geschichte ja auch spurlos verloren ging, wie
lebendig Siegmund und Hunding!

Einen äußeren Grund, Walküren im Kampfe über
Siegmund walten zu lassen, gaben die Worte der
Volsungasaga kurz vor dem Fall des Helden: »Manche
Speere und Pfeile flogen da durch die Luft, aber so
schützten ihn seine Schutzgöttinnen (spádísir), daß er
nicht verwundet ward.« Als Odin selbst auftritt, ist
die Macht dieser Wesen gebrochen. Im ersten Lied
von Helgi, Siegmunds Sohne, heißt es, als der Held
im Kampfsturm steht, daß die Walküre Siegrun zu
seinem Schutz hernieder kam:

> Da kam vom Himmel
> die Helmbewehrte,
> Speere sausten,
> und schützte den Fürsten.
> Laut rief Sigrun,
> des Luftritts kundig:
> Heil sollst du, Fürst,

dich beider erfreun,
des Siegs und der Lande;
zum Schluß kommt der Streit.

Die Volsungasaga giebt diese Stelle mit den Worten: »da sahen sie eine große Schar von Schildmägden gleichwie in Flammen: das war Siegrun.« So erscheint Brünnhilde im Lichtglanz über Siegmund schwebend und ihn mit dem Schilde deckend. Ueber einem anderen Helgi schwebt die Walküre Kara in Schwangestalt.

Wie die Haupthandlung in großartiger Einfachheit aus den Grundmotiven der Ueberlieferung heraus gestaltet ist, so ist auch die äußere Einkleidung völlig stilgerecht. Aus der Erzählung Siegmunds im ersten Aufzug von Reckenfahrt, Fehde und Brand, vom Wolfsleben des Aechters, wobei er mit seinem Vater Wälse den bedeutungsvollen Namen einer berühmten germanischen Heldensippe, der Wölfinge, annimmt, spricht die ganze Wildheit des germanischen Urwaldlebens. Zwar haben wir in Deutschland selbst keine so alten Denkmäler, um einen Einblick in solche Zustände daraus zu gewinnen, aber die isländischen Familiengeschichten berichten ausführlich ähnliche Dinge, freilich aus späterer Zeit, dem IX. und X. Jahrhundert, aber noch in vollster Herbe ungebrochener heidnischer Gesinnung. Grimmigste Fehde, Mordbrand und Todschlag aus Blutrache, furchtbare Gewaltthat erfüllte jene Urzeiten.

Wotan, die Walküren, Walhall sind aufs anschaulichste nach den nordischen Quellen geschildert. Wotan erscheint im goldenen Adlerhelm und in goldener Brünne, mit dem roten Kriegsmantel angethan. Er weist die Walküre zum Kampf, dem Wälsung Sieg

4*

zu kiesen. Den Walküren ist das Amt gesetzt, die tapferen Männer zum Krieg aufzureizen, damit kühner Kämpfer Scharen in Walhall sich sammeln. Denn zum letzten Kampfe will der Gott wohlgerüstet sein, um einst an der Spitze vieler Helden aus Walhall dem Feind entgegenreiten zu können. Wenn Gewittersturm aufbraust, wenn Wotan sein heiliges Roß reitet, dann ist er der wilde Jäger, der Brünnhilde hetzt, dann zeigt sich des Gottes Wesen als des Stürmers und Führers des wilden Heeres. Der sturmumbrauste Walkürenfelsen, an dem Wolkenzüge vorüberjagen, macht den mythischen Ursprung des Sturmgottes prächtig anschaulich.

Im zweiten Aufzug ist die Todkündung einem norwegischen Skaldenlied um 900 nachgebildet: Odin sandte Walküren aus, Könige zu kiesen, die nach Walhall zur Gastung bei Odin fahren sollten. Sie fanden Hakon, den König unter dem Kampfbanner. Nun wird die blutige Schlacht, Odins und der Walküren Wetter, geschildert. Da sassen die totwunden Helden, denen die Fahrt nach Walhall bestimmt war, mit schartigen Schilden und zerschossenen Brünnen. Nicht froh gemut war die Schar. Da sprach die Walküre auf den Gerschaft gestützt: »Nun wächst der Götter Glück, weil die Waltenden Hakon mit einem großen Heere zu sich heim entboten.« Der König hörte, was die Walküren redeten, die herrlichen von Rosses Rücken. Sinnend erschienen sie, in Helmen waren sie, Schilde hielten sie vor sich. »Warum, o Walküre, teiltest du so die Schlacht? Wir waren doch wert, Sieg von den Göttern zu erhalten.« »Wir walteten, daß du das Feld behieltest, aber deine Feinde flohen. Nun reiten wir zum grünen Heim der Götter, Odin

zu sagen, daß der König Hakon zu Gast kommt.«
Odin aber hieß seine Helden aufstehen und dem
tapfern König zur Begrüßung entgegen gehen. —
So tritt auch Brünnhild mit Schild und Speer, ans Roß
gelehnt, Siegmund ernst und schön gegenüber. Zu
Walvater führt sie ihn; dort empfängt ihn gefallener
Helden hehre Schaar mit hochheiligem Gruß:

> Wunschmädchen
> walten dort hehr:
> Wotans Tochter
> reicht dir traulich den Trank.

Hier haben wir die beiden Seiten des Walküren-
amtes: sie thun in Walhall Dienst, reichen den Helden
Trank und haben das Tischgerät und die Bierkrüge
in ihrer Obhut. Odin sendet sie aber auch in die
Schlacht, dort wählen sie die Männer aus, die dem
Tode erliegen sollen und verleihen den Sieg. Zu der
Erscheinung der Walküren im dritten Aufzug bieten
sich folgende Züge der Quellen: Die Walküren reiten
auf ihren Rossen durch die Luft. Meist erscheinen
sie geschart, zu drei, sechs, neun, zwölf. Mit Helm
und Schild, in fester Brünne, mit funkensprühenden
Speeren, von leuchtenden Blitzen umspielt reiten sie
im Gewölk. Die Walküren sind von leuchtender,
lichthaariger Schönheit. Daß aber die Walküren die
Erschlagenen selber nach Walhall geleiten oder auf
ihren Rossen deren Leiber hinauftragen, ist nirgends
angedeutet. Aber Grimm schreibt ungenau in der
Mythologie S. 800: »Odin entsendet die Valkyrjen,
alle im Kampf gefallnen Helden zu empfangen und in
seinen Himmel zu geleiten.« Von den Walküren-
namen ist nur Siegrune bezeugt; die übrigen hat

Wagner selbst eingesetzt und trefflich aus den kriegerischen Frauennamen der Germanen ausgewählt, insbesondere paßt der Name Waltraute vorzüglich für eine Walküre. Schwertleite (mhd. *swertleite* = Schwertumgürtung, Wehrhaftmachung) und Roßweiße (die Schimmelreiterin) sind frei erfundene Namen.

Das Roß Grane gehört der Ueberlieferung an, aber steht dort in anderem Zusammenhang. Nach der Volsungasaga stammt es von Odins Roß Sleipner. Odin selber schenkt es dem Sigurd, damit er darauf durch die Waberlohe reite. Wagner verwies Grane unter die Walkürenpferde. Mit ihrer Waffenrüstung, mit Speer und Schild, Helm, Brünne und Mantel verschenkt Brünnhilde im Vorspiel zur Götterdämmerung auch Grane an Siegfried. Auch in der Thidrekssaga Kap. 168 schenkt Brünnhild dem Sigurd den Hengst Grane.

Wenn auch Stoff und Einkleidung durchaus auf der Ueberlieferung beruhen, so sind doch die einzelnen Bühnenbilder und Vorgänge fast völlig neu erfunden. Der Schauplatz des ersten und dritten Aufzugs, der Saalbau um den Eschenstamm und der Gipfel des Felsens, auf dem Brünnhild in Schlaf gesenkt wird, sind in den Vorlagen zwar angedeutet, der des zweiten Aufzugs hat kein Vorbild. Was im ersten Aufzug geschieht, ist neu erfunden. Nur in Sieglindes Erzählung vom Greis im grauen Gewand spielt die Volsungasaga herein.

Wotans Gespräch mit Fricka ist in der Edda bei andrem Anlaß einigermaßen angedeutet, wenn z. B. Odin und Frigg über ihre Günstlinge sich streiten; auch Wodan und Frea sind in der bekannten Stammsage der

Langobarden uneinig; Frea setzt schließlich listig ihren Willen durch; vom Inhalt des Gesprächs steht aber gar nichts in den Quellen. Daß Fricka ein Widdergespann fährt, ist durch J. Grimms Mythologie S. 304 veranlaßt, wo ungenau dem Thorr ein Widdergespann zugeschrieben ist. Thorr fährt in Wirklichkeit mit Böcken, Freyja mit Katzen. Den Wagen selbst hat Fricka von Freyja übernommen, die ja beide oft mit einander verwechselt wurden und Eigenschaften an einander abgaben. Ebensowenig hat Wotans Gespräch mit Brünnhild und die Wälsungenszene eine Vorlage. Die Todkündung und der Schluß des zweiten Aufzugs sind quellenmäßig angedeutet; die plastische Ausführung ist Wagners volles Eigentum. Die Walkürenszene im dritten Aufzug, das Gespräch zwischen Sieglinde und Brünnhilde, die ganze wundervolle Stimmung der Wotanszene, Abschied und Feuerzauber gehören dem Drama zu eigen, davon steht nichts in den Vorlagen. Die Verkündigung Siegfrieds ist Brünnhild zugewiesen, in der Volsungasaga spricht sie Sigmund aus. Wagner dachte wohl dabei ans Lied von Helgi dem Sohne Hjorwards, wo die Walküre Swawa den bisher stummen Helden grüßt, ihm Namen und Siegschwert schenkt. Wie viel schöner ist die Namendeutung:

>Siegfried erfreu sich des Siegs!<

gegenüber der in Siegfrieds Tod, wo die von den Philologen zwar lange behauptete, aber etymologisch und sachlich gleich falsche Auslegung

»Durch Sieg bringt Friede ein Held«

von der dritten Norn verkündet wird. Die ganze Stimmung im dritten Aufzug, »ein furchtbarer Sturm der Elemente und der Herzen, der sich allmälig bis zum Wunderschlaf Brünnhilds besänftigt«, ist nur im Drama geschaffen.

So finden wir im Ganzen und Einzelnen freieste, eigenste dichterische Neuschöpfung, und doch sind alle Züge der Ueberlieferung aufs feinste verwertet. Es ist eine Neugestaltung aus den Grundmotiven der Sage.

Ueber den Ideengang schrieb Wagner 1851: »denke dir die wunderbar unheilvolle Liebe Siegmunds und Sieglindes; Wotan in seinem tiefgeheimniß-vollen Verhältniß zu dieser Liebe; dann in seiner Entzweiung mit Fricka, in seiner wütenden Selbstbezwingung, als er, der Sitte zu lieb, Siegmunds Tod verhängt; endlich die herrliche Walküre, Brünnhilde, wie sie — Wotans innersten Gedanken erratend — dem Gotte trotzt und von ihm bestraft wird: denke dir dies in meinem Sinne, mit dem ungeheuren Reichtum von Momenten, in ein bündiges Drama zusammen gefaßt, so ist eine Tragödie von erschütterndster Wirkung geschaffen, die zugleich alles das zu einem bestimmten sinnlichen Eindrucke vorführt, was mein Publikum in sich aufgenommen haben muß, um den »jungen Siegfried« und »Siegfrieds Tod«, nach ihrer weitesten Bedeutung, leicht zu verstehen.«

Siegfried.

ie Handlung im Siegfried ist im Gegensatz zur reich bewegten Walküre von klassischer Einfachheit, voll idyllischer Stimmung und Märchenzauber. Sie ist dabei ganz und gar anschaulich, daß im Bühnenbilde selbst alle Vorgänge unserem Auge sich darstellen. Dabei ist sie wiederum völlig quellentreu, indem alle wirksamen Züge der alten Sagen aufgenommen sind, nur daß sie in den Quellen oft nur angedeutet und weit verstreut, im Siegfried aber zu unlöslicher Einheit verknüpft und zu ungeahnter Bedeutung gesteigert sind. Hauptquellen sind Eddagedichte, das Lied vom hürnen Seyfrid, Märchen; alles ist lebendig erschaut und tief empfunden.

Der erste Aufzug zeigt Mimes Höhle, in der der junge Held heranwächst. Siegfried, vom unbändigen Drang nach Fahrten und Thaten erfüllt, schmiedet sich selbst sein Schwert aus den Trümmern des Wotanschwertes, das dereinst in Siegmunds Hand am Speer des Gottes zersprungen war. Die Handlung gipfelt im Schmieden des Schwertes, währenddem Mime seine Ränke schmiedet und ein Truggetränk braut; im prächtigen Gegensatz stehen sich da lichtfrohes Heldentum und lichtscheue Hinterlist, Wälsung und Nibelung, gegenüber. Siegfried ist der freie Held, der ganz auf sich selbst steht und auch seine Waffe aus eigener Kraft gewann. Siegmund hatte das Siegschwert gefunden, das eines Gottes Gunst ihm beschied; Siegfried steht auch darin auf sich selbst. Nur sein eigner Mut, kein Götterrat treibt ihn auf den Heldenweg. Uhland hatte in dem Gedichte »Siegfrieds Schwert« den der alten Ueberlieferung fremden Gedanken hingeworfen, daß Siegfried selbst sich sein Schwert schmiedet. Wagner verarbeitete diesen Gedanken in den Zusammenhang der Sage. Im Entwurf hieß es noch, Siegfried schmiede das Schwert unter Mimes Anleitung. Im Drama ist dem Niblung keine Mitwirkung mehr vergönnt. Die selbstgeschaffene Waffe ist ein Sinnbild freiester Heldenschaft. Die Schilderung des unbändigen Knaben ist dem Seyfridlied entnommen:

> der knab was so mutwillig,
> dazu starck und auch groß.
> er wolt nie keynem menschen
> seyn tag sein underthon,
> im stund seyn synn und mute,
> das er nur züg darvon.
> das eysen schlug er entzweye,
> den ampoß in die erdt,
> wenn man in darumb straffet,
> so nam er auff keyn leer;
> er schlug den knecht und meyster
> und trib sie wider und für;
> nun dacht der meyster offte,
> wie er seyn ledig wür.

Der Bär, den Siegfried am Bastseile hereinführt, stammt aus der 26. Aventiure des Nibelungenlieds, wo Siegfried einen gefangenen Bären unter die Küchenknechte losläßt. Manch' übermütige Rede Siegfrieds findet sich schon im Vorspiel zu Fouqués Sigurd angedeutet. Auch dort beginnt der Akt mit einem Selbstgespräch Reigens (d. i. Mime), das durch Sigurds Hereinstürmen unterbrochen wird. So z. B. folgendes:

Reigen

(ein Schwert bringend).

Nimm hin! Nur wen'gen Recken wird's so gut,
mit Reigens Waffen in den Streit zu ziehn.

Sigurd.

Laß proben denn, was Reigens Waffe kann,
hier an dem Eckstein woll'n wirs gleich versuchen.

Reigen.

Du wirst doch nicht!

Sigurd.

Sollt ichs an weichem Sand?
(Er haut gegen den Eckstein. Die Klinge zerspringt.)
Sieh den vermaledeiten Binsenstock!

Reigen.

Das? Binsenstock?

Sigurd.

Ja, hälts denn besser vor?
Seht mir den Prahler, seht den trägen Werkmann!
Willst du nicht tüchtig schmieden? So thu ichs,
und zwar auf deinen Kopf an Amboß statt,
dazu noch ist des Schwertes Trümmer gut.

Sieglindes Schicksal bei Siegfrieds Geburt und Siegfrieds Aufnahme bei Mime ist der nordischen Thidrekssaga Kap. 159—64 entnommen: auch dort stirbt Siegfrieds Mutter bei seiner Geburt im wilden Wald, der Knabe wird von einer Hindin gesäugt und später von Mime gefunden, aufgenommen und erzogen. Er weiß natürlich nichts von Vater und Mutter. So heißts auch im Seyfridlied 47:

Nun was der Held Seyfride
gewesen seyne Jar,
das er umb vatter und muter
nicht west als umb ein har;
er ward vil ferr versendet
inn eynen finstern than,
darinn zoch jn ein meyster,
biß er ward zu eym man.

Aus der Volsungasaga ist die Schwertprobe entnommen: »Sigurd hieb in den Amboß und zerklob ihn bis auf den Fuß hinab, und das Schwert barst weder noch zersprang es. Danach trieb Mime ihn an, den Fafner zu töten.«

Besonders schön ist in germanischer Heldensage die Beseelung der Waffen, die dadurch eigene poetische Persönlichkeit erhielten. Der Held nennt sein Schwert mit Namen und spricht zu ihm wie zu einem in Not versuchten, trauten Freund. So taufte Siegmund den Notung. Das Schwert, das in der Edda Gram, im Nibelungenlied Balmung heißt, empfing im Drama einen neuen, bedeutungsvollen und durchsichtigen Namen. Wenn ein Schwert zersprang, so starb es. Bei Fouqué redet Sigurd den Gram an:

>aus kranken Trümmern neu erstandnes Licht‹,

bei Simrock im Wieland erschlägt Siegfried den Mime mit den Worten: ›

»darum so weih ichs ein,
Schächern und Verrätern ein ergrimmter Feind zu sein‹.

Das alles zieht Wagner in die schlagkräftigen Worte zusammen:

›Todt lagst du
in Trümmern dort,
jetzt leuchtest du trotzig und hehr.

Zeige den Schächern
nun deinen Schein,
schlage den Falschen,
fälle den Schelm!«

Der zweite Aufzug führt uns ins tiefe Dunkel
des germanischen Urwaldes, zur Höhle des den Hort
hütenden Riesenwurms. Siegfried erschlägt den Wurm
mit dem Schwert und wird durch den Genuß des
Wurmblutes der Vogelrede kundig. Das Vöglein
weist ihn zum Niblungenhort, lehrt ihn Mimes Tücke
verstehen und sich seiner Hinterlist durch rächenden
Schwertstreich entziehen, und zeigt ihm endlich den
Weg zum feuerumlohten Berg, auf dem Brünnhilde
schläft. Siegfrieds sagenberühmte Heldenthat, Fafners
Besiegung und Hortgewinn, sind der Hauptinhalt. Zu
Grunde liegt das Fafnerlied der Edda: Siegfried und
Mime (in der Edda Regin genannt) gingen hinaus auf
die Heide und fanden die Spur des Lindwurmes, wo-
rauf er zum Wasser zu kriechen pflegte. Da machte
Siegfried eine große Grube in diesen Weg und stellte
sich hinein; der Lindwurm, als er vom Goldlager sich
erhob, blies Gift aus, so daß es dem Siegfried oben
aufs Haupt sprühte. Als er aber über die Grube hin-
kroch, da stieß Siegfried ihm das Schwert ins Herz,
und Fafner schüttelte sich und schlug um sich mit
Haupt und Schwanz. Siegfried trat aus der Grube
herauf und einer erblickte den andern. Fafner sprach:
»Wer trieb dich, wie ließest du dich treiben, mir das
Leben zu nehmen; kläräugiger Gesell, du hattest einen
harten Vater, früh schon war dir gewaltiges Schicksal
beschieden.« Siegfried antwortete: »Mein Herz hat
mich getrieben, meine Arme haben's vollbracht, und

dieses mein scharfes Schwert; wer feig ist als Jüngling, wird nimmer kühn als Mann.« Fafner sprach: »Einen Rath geb ich dir, Siegfried, schlag ihn nicht in den Wind: reite heim von hinnen, das klingernde Geld, das feuerrothe Gold, die Ringe werden dein Tod sein!« Siegfried antwortete: »Gerathen ist mir, aber ich will reiten zum Gold auf der Heide, und du, Fafner, liege da in Todeszügen, bis dich die Hölle hat«. Fafner sprach: »Mime verrieth mich, er wird auch dich verrathen und unser beider Tod werden; wohl sehe ich, Fafner muß sein Leben lassen: diesmal warst du der stärkste!« Mime war fortgegangen, dieweil Siegfried den Fafner erschlug, und kam jetzt zurück, als dieser eben das Blut vom Schwerte strich. Da sprach er: »Heil dir, Siegfried! dein ist der Sieg! Fafner ist todt! kein kühnerer Held, sag ich, geht über die Erde.«

Da trat Mime zu Fafner, und mit seinem Schwerte schnitt er ihm das Herz aus und trank das Blut, das aus der Wunde floß; dann sprach er zu Siegfried: »Ich will schlafen gehen, Siegfried, sitz mir derweil da und halte den Spieß mit Fafners Herz ans Feuer.« Hierauf nahm Siegfried Fafner's Herz und briet es am Spieß. Und als er dachte, daß es gar wäre und der Saft herausschäumte, wollte er mit seinem Finger prüfen, ob es genug gebraten hätte. Er verbrennte sich aber den Finger und that ihn in den Mund, um sich vom Brand zu kühlen. Aber sobald ihm Fafners Herzblut auf die Zunge kam, verstand er der Vögel Sprache und hörte, was sie auf den Aesten zwitscherten. Ein Vogel sang: »Hier sitzt nun Siegfried blutbespritzt und brät Fafners Herz am Feuer; wie klug thäte der edle Held, wenn er selber das triefende äße!« Der zweite Vogel sang: »Dort liegt Mime, sinnend, wie er den arglosen Helden verderbe.« Der dritte Vogel sang: »Hauptes kürzer sollt' er ihn machen, den grauharigen Schwätzer, und ihn hinunter in die Hölle schicken; dann gehört ihm all' das Gold und der Schatz, der unter Fafner lag.« Da hieb er dem Mime das Haupt ab und aß Fafners Herz und trank beider Blut. Nun hörte er wiederum singen: »Wohlauf, Siegfried, hol dir das rote Gold, unköniglich ist's, lange zu sorgen. Oben auf dem Berg, da schläft eine Schild-Jungfrau, und drüber spielen die bäumeverzehrenden Flammen; ehemals stach Odin einen Schlaf-Dorn in ihres Hauptes Schleier, als sie Männer in der Schlacht dem Tode weihen wollte. Schauen wirst du sie, o Held, die behelmte, die zu Roß aus dem Kampfe zieht; kein Königssohn vermag ihren Schlaf zu brechen, außer dir: so habens die Nornen beschlossen.«

Neben dem Eddalied hat auch Fouqués Sigurd, besonders beim Gespräch zwischen Siegfried und Mime, einzelne Wendungen und Gedanken hergegeben.

Die Waldstimmung hat zuerst Simrock im Wieland in diesen Teil der Erzählung hineingetragen:

> Noch stand die Sonne niedrig,
> da fuhr zum grünen Wald
> Siegfried der junge;
> wie fröhlich ward er bald,
> als er im lichten Scheine
> die Bäume grünen sah:
> vor Freuden wollt er springen:
> nicht wußt er, wie ihm geschah.
>
> Er begann ein Lied zu singen:
> nach sangs der Widerhall.
> Da schuf ein lustig Ringen

5

der starken Stimme Schall.
Bald freut ihn mehr zu lauschen
des Bächleins munterm Gang,
bald wie ein wonnig Rauschen
durch alle Läuber sich schwang.

Von abertausend Stimmen
der Wald erfüllet war,
von Blüthen summten Immen -
zu Blüthen immerdar;
bald Adlersflügelschläge,
bald kleiner Vögel Lied,
bald Reh im Laube raschelnd,
bald Wasservögel im Ried.

Wie leuchtend durch die Grüne
die Morgensonne schien,
Siegfried der kühne
sprang wie ein Thor dahin.
Er hatte nie die Wunder
der Wildniß gekannt,
bald an dem Orte stand er,
dahin ihn Mime gesandt.

Siegfried setzt sich endlich, die heißen Glieder
kühlend, unter die grüne Linde. Was ihm hier die
Dichtung Neues bot, hat Wagner aber erst noch erlebt,
ehe ers zum Waldweben gestaltete. In einem Ge-
burtstagsbrief an seine Mutter schrieb er 1846: »Mein
gutes Mütterchen, mag viel Wunderliches zwischen
uns getreten sein, wie schnell verwischt sich das alles!
Wenn ich aus dem Qualm der Stadt hinaustrete in ein
schönes belaubtes Thal, mich auf das Moos strecke,
dem schlanken Wuchs der Bäume zuschaue, einem
lieben Waldvogel lausche, bis mir im traulichsten
Behagen eine gern ungetrocknete Thräne entrinnt, —
so ist es mir, wenn ich durch allen Wust von Wunder-

lichkeiten hindurch meine Hand nach dir ausstrecke,
um dir zuzurufen: Gott erhalte dich, du gute alte
Mutter, und nimmt er dich uns einst, so mach ers
recht mild und sanft!«

Im dritten Aufzug erschauen wir die Erweckung
der Walküre. Siegfried durchdringt den Flammenwall
hinauf zur sonnigen Höhe, er küßt die schlafende
Brünnhilde zum Leben wach. Hier liegt ein Brünn-
hildlied der Edda zu Grunde: »Siegfried sah auf einem
Berge ein helles Licht, gleich als wäre Feuer ausge-
brochen, das zum Himmel hinauf lohete; als er aber
hinzukam, stand da eine Schildburg und oben darauf
eine Fahne. Siegfried ging hinein und sah einen
Mann liegen und schlafen in völliger Rüstung. Er
nahm ihm den Helm vom Haupt, und da sah er, daß
es ein Weib war; die Brünne lag ihr aber so fest an,
als wär sie angewachsen. Da schlitzte er sie auf mit
seinem Schwerte vom Haupt herab und aufwärts über
beiden Armen und zog sie ab; davon erwachte das
Weib. Nun setzte sie sich auf, erblickte den Helden
und sprach: »Was hat meine Brünne zerschnitten?
wie bin ich geweckt aus meinem Schlaf? Wer hat die
helle Rüstung mir abgezogen?« Er antwortete: »Siegmunds Sohn hats gethan, Siegfrieds Schwert zerschnitt
deine Brünne.« Sie sprach: »lange schlief ich, lang
war ich eingeschlafen, lang sind der Menschen Leiden.
Mit Runen hats Odin gestiftet, daß ich meine
schlummernden Augen nicht aufschlagen konnte.«
Siegfried setzte sich nieder, sie aber nahm ein Horn
voll Met und reichte ihm den Gedächtnißtrank: »Heil
dir Tag! Heil euch, Söhne des Tags! Heil dir Nacht!
Heil dir, Tochter der Nacht! Mit milden Augen

5*

schauet auf uns, verleihet uns Verbundenen Sieg!
Heil euch, Götter! Heil euch, Göttinnen! Heil dir,
segenbringende Erde! Rede und Weisheit verleihet
uns beiden und heilende Hände lebelang!«

Hierauf folgt die für die Walküre bereits ausge-
hobene Stelle über Brünnhilds Schicksale vor dem
Zauberschlaf. Wodurch Siegfried Brünnhildes Schlaf
brach, wird in der Sage nicht angegeben. Im Dornröschen geschiehts, wie überhaupt die Erlösung im
Märchen, durch den Kuß, und so heißt es schon bei
Simrock im Wittich:

>da mußte sie erwecken mit einem Kusse Siegfried<.

Besonders schön wirkt im Drama Wotans Ab-
schiedskuß, der die Gottheit von der Walküre nahm
und Schlaf in ihr Auge drückte, und Siegfrieds Liebes-
kuß, der die schlummernde Maid zum Leben erweckte.

Aus der kurzen Andeutung, daß Brünnhild nur
dem furchtlosen Helden gehören will, gewinnt Wagner
die Märchenstimmung für seinen Siegfried, der aus-
zieht, um das Fürchten zu lernen. Wenn auch die
Worte des Eddaliedes anklingen, so ist doch ihre Ausführung im Drama, das glanzvolle Aufschlagen der
Augen, der stumme, feierliche Gruß an Erde, Luft
und Himmel, der Heilruf an die Sonne noch viel
größer und edler, und die Entfaltung von Brünnhilds
Liebe aus jungfräulicher Scheu bis zum Jubelsturm
der wilden Walküre suchen wir vergeblich in der
Edda. Sonnenlicht fluthet mit entzückend heiterer
Stimmung durch den jungen Siegfried. Der schwert-
frohe Held stürmt vorwärts und aufwärts zu Sieg und
Liebeserlösung. Im stürmisch hellen Liebesjubel endigt

der dritte Aufzug. Erst im Vorspiel zur Götterdämmerung werfen nächtlich webende Nornen ihr
Gewebe auf dies sonnige Glück, dem düstres Todes-
los droht.

Also Schwert, Kampf mit dem Lindwurm und
Hortgewinn, Erweckung der Walküre — mit diesen
kurzen Worten ist die Handlung der drei Aufzüge und
drei Eddalieder, die ihnen zu Grunde liegen, angegeben.
Die Gestalten der Dichtung sind klar geschaut
und geschaffen. In Siegfried reift der Knabe, dessen
toller, oft derber Uebermut gegen Mime, Fafner,
ja selbst gegen den Wanderer ausbricht, dessen
träumerisches Sehnen im Waldweben sich offenbart,
zum heldenhaften Jüngling. Was ihm aus Vogelsang
und Blätterrauschen entgegentönte, das unnennbare
Liebessehnen, erfüllt sich, als er in heiliger Verzückung
vor dem Weibe steht. Zur Stimmung der Erweckung
sagt Nietzsche: »im Ring finde ich die lauterste Musik,
die ich kenne, dort wo Brünnhild von Siegfried er-
weckt wird; hier reicht der Maßstab hinauf bis zu
einer Höhe und Heiligkeit der Stimmung, daß wir an
das Glühen der Eis- und Schneegipfel in den Alpen
denken müssen: so rein, einsam, schwer zugänglich,
trieblos, von leuchtender Liebe umflossen, erhebt sich
hier die Natur; Wolken und Gewitter, ja selbst das
Erhabene, sind unter ihr«. Wagner sagt: »im Siegfried
hab ich den mir begreiflichen vollkommensten Menschen
darzustellen gesucht, dessen höchstes Bewußtsein
immer nur im gegenwärtigsten Leben und Handeln
sich kundgiebt«. Also freies, furchtloses Sich-Ausleben
der Persönlichkeit, die gegen alle gewaltsamen und
fremdartigen Eindrücke sich behauptet.

Brünnhild wandelt sich aus der Walhalltochter nach tiefinnerlichem Seelenkampf zum fraglos, stürmisch liebenden Menschenweib. Hatte die fühllose Maid vor Siegmund zum ersten Mal inniges Mitleid erlebt, so bewährt sich jetzt vor Siegfried an ihr das volle Liebeswunder. Liebe lohnt mit Leid. Doch das erfährt Brünnhild erst in der Götterdämmerung. So wundervoll verstand Wagner jeden Schatten aus dem Siegfried, in dem nur Licht und Liebe aufflammen, fern zu halten. Auch daher die eigenartige Stellung des Siegfried gegenüber den anderen Dramen des Rings, die noch mehr aus Weh als aus Wonnen gewebt sind.

Wie herrlich sinnbildlich wirkt in diesem Sinne die Lichtstimmung im dritten Aufzug: aus der Sturmnacht der Erdaszene, durch Mond- und Morgendämmer, durch die Flammenwolken der Morgenröte dringt der Lichtheld zur seligen Oede auf sonniger Höh, zum heitren blauen Tageshimmel, der mit göttlichem Glanze über Siegfrieds und Brünnhilds Liebe aufleuchtet.

Dem Gegenspiel der Wälsungen, den Nibelungen Alberich und Mime, ist im Siegfried eine große und wichtige Rolle zugewiesen. Ganz besonders tritt Mime hervor, der seltsame Heldenerzieher mit dem bequemen Grundsatz:

> Glauben sollst du mir,
> was ich dir sage!

Seine Ränke suchen den heranwachsenden Recken zu umstricken und zu fesseln, den Heldengeist in die

Fesseln einer eigensüchtigen Erziehung zu schlagen. Doch Siegfried ringt sich frei, er bricht und sprengt die Bande. In den Quellen ist das alles nur schwach angedeutet. Sehr hübsch ist der bekannte Märchenzug verwandt, daß der böse Kobold kurz vor seinem Ende sein Verwunderungssprüchlein thut:

>»Nun ward ich so alt
> wie Höhl' und Wald,
> und hab nicht so was gesehn!«

Wie Siegfried durch den Genuß des Wurmblutes hellhörig wird, daß er nicht nur die Vogelsprache versteht, sondern Mimes Gedanken aus seinen Worten errät, ist neu erfunden. In der Edda offenbart ihm der Vogelruf Mimes Trug und fordert ihn auf, den Ränkeschmied zu tödten, was der Held auch kurzweg thut. Im Drama mahnt das Vöglein nur, scharf auf des Schelmen Heuchlergered zu hören. Alles weitere thut Siegfried selbständig.

Die ganze, furchtbare Macht- und Goldgier der Nibelungen kommt im Zwergenzank zwischen Mime und Alberich zum Ausbruch. Weder hierfür noch für das Gespräch zwischen Alberich und Wotan finden sich in den Vorlagen bestimmte Vorbilder. Doch wird wohl die Erzählung des Nibelungenliedes von den beiden Söhnen Nibelungs, die sich vor dem hohlen Berge um den Hort streiten und Siegfried zum Schiedsrichter anrufen, Anregung zum Zwergenzank gegeben haben. Schon im ersten Entwurf hat Wagner Alberich und Mime als Brüder und Niblungen aufgefaßt, wovon die Vorlagen nichts wissen. In der Edda sind Regin

(d. i. Mime) und Fafner Brüder und Andwari steht ganz abseits. Die Niblungenmächte kämpfen im ganzen Ring gegen Götter und Helden. Wenn sie auch nicht siegen, so bewirkt doch dieser Kampf zwischen Licht und Finsterniß den tragischen Untergang der Wälsungen. Aber im Siegfried erliegen die Niblungen ganz und gar. Aus dieser sieghaften Grundstimmung heraus breitet sich auch über Gestalten wie Mime und Alberich ein gewisser Humor, d. h. sie scheinen uns Siegfried gegenüber so ungefährlich, wie etwa Beckmessers Gemeinheit machtlos ist gegen Hans Sachs. Im Siegfried siegt wie in den Meistersingern das Licht. Wir sehen alles mit Siegfrieds oder Wotans Auge.

Ernst und erhaben schreitet eine Gestalt durch das Drama, der Wanderer, ein Greis im grauen Gewand, mit tiefem Hut, der das eine Auge deckt, von blauem Mantel umwallt. Wir sahen in der Walküre Wotan am Werk, Helden zu schaffen. Aber nur im Grunde unfreie Geschöpfe, die auf des Gottes Geheiß streiten, waren so zu erzielen. Siegmund ward nur stark durch Wotans Gunst, Siegfried erwuchs sich selbst, fremd dem Gott, frei seiner Gunst. Mit dem Abschied von Brünnhild schied Wotan vom eignen Wirken und Handeln. Wagner schreibt: »Wotan ist nach dem Abschied von Brünnhild in Wahrheit nur noch ein abgeschiedener Geist: seiner höchsten Absicht nach kann er nur noch gewähren lassen, es gehen lassen, wie es geht, nirgends aber mehr bestimmt eingreifen; deswegen ist er nun auch Wanderer geworden«.

>Zu schauen kam ich,
nicht zu schaffen:
wer wehrte mir Wandrers Fahrt?<

In Siegmunds Geschick hatte Wotan eingegriffen, auf Siegfrieds Thaten schaut der Wanderer mit inniger Teilnahme, doch ohne sie zu lenken:

> »Wen ich liebe,
> laß ich für sich gewähren!«

Dreimal, in jedem Aufzug einmal, tritt der Wanderer auf, zuerst im Gespräch mit Mime, dann mit Alberich vor Fafners Höhle, endlich mit Erda und Siegfried vor dem Brünnhildstein. Ueber den Wandrerszenen, deren äußere Einkleidung nordischen Odinsliedern entstammt, deren Gehalt aber Wagners volles Eigentum ist, liegt tief ernste, teilweise groß erhabene Stimmung. Die Wissenswette mit Mime, wo nochmals die Hauptmotive des Rings von den Nibelungen, Riesen, Göttern und Wälsungen an uns vorüberziehen, ist dem Lied von Wafthrudnir nachgeahmt, wo Odin mit einem weisen Riesen eine solche Wette, deren Einsatz der Kopf der Wettenden ist, eingeht und siegreich besteht. Herzergreifend ist die Stelle, da der Wandrer des Geschlechtes denkt:

> »dem Wotan schlimm sich zeigte,
> und das doch das liebste ihm lebt«.

Wörtlich klingen z. B. folgende Verse im Siegfried nach:

Odin:

Heil dir, Wafthrudnir!
In die Halle kam ich
dich selber zu sehen.
Zuerst will ich wissen,
ob du weise bist
und ob alles Wissen dir eigen.

Wafthrudnir:
Wer ist der Mann,
der in meinem Saal
das Wort an mich wendet?
Aus kommst du nimmer
aus unsern Hallen,
so ich dich nicht den Klügern erkenne.

Odin:
Wandrer heiß ich,
die Wege ging ich
durstig zu deinem Saal.
Bin weit gewandert,
des Wirts benötigt
und deines Empfanges bedürftig.

Wafthrudnir:
Was stehst du und sprichst
an der Schwelle, Wandrer?
Nimm dir Sitz im Saale.
So wird erkannt
wer kundiger sei,
der Gast oder der graue Redner.

Zuerst fragt nun der Riese den Gast und fordert
ihn dann auf, näher zu treten.

Wafthrudnir:
Klug bist du, Gast:
geh zu den Bänken
und laß uns sitzend sprechen.
Das Haupt zur Wette hier
steh in der Halle,
Wandrer, um weise Worte.

Odin:
Viel erfuhr ich,
viel versucht ich,
befrug der Wesen viel.

Nun folgen Odins Fragen, auf deren letzte der Riese keinen Bescheid weiß und mit Schrecken erkennt, daß der Gott im Wandrer sich barg.

Das Gespräch mit Alberich hat in den Quellen kein Vorbild. Die Erda-Szene beruht auf dem Wandrerlied der Edda, das anhebt, wie Odin der Wala den Leichenzauber singt:

> bis widerwillig
> das Weib sich erhob
> und Laute entströmten
> den Lippen der Todten.

Die Wala spricht:

> Wer ist der Mann,
> mir unbekannt,
> der schwere Wege
> zu schreiten mich nötigt?
> Mich beschneite der Schnee,
> mich schlug der Regen,
> mich beträufelte der Tau,
> todt war ich lange.

Odin spricht:

> der Wandrer bin ich,
> Waltams Sohn.

Und dann fragt er, für wen in der Todtenwelt die Stätte bereitet ist und erfährt, daß Baldr, den schlimme ahnungsvolle Träume schreckten, fallen wird. Am Ende erkennt die Wala, wen sie vor sich hat und ruft ihm zu:

> Nicht Wandrer bist du,
> wie ich wähnte zuvor,
> Odin bist du,
> der alte Schöpfer.

> Odin:
> Kein weises Weib,
> noch Wahrsagerin bist du.

Man vergleiche hiermit Wotans Wecklied und
Erdas Auftauchen, »sie erscheint wie von Reif bedeckt;
Haar und Gewand werfen einen glitzernden Schimmer
von sich«, und die letzten Wechselreden:

> du bist nicht,
> was du dich wähnst!
> Urmütter-Weisheit
> geht zu Ende:
> dein Wissen verweht
> vor meinem Willen!

Aber ganz neue Gedanken hat die Szene bei
Wagner erhalten. Der Wandrer ruft die Wala aus
langem Schlafe auf, um ihr, der unweisen, deren
Weisheit keinen Rat mehr weiß, die erlösende Kunde
ins Ohr zu singen:

> »Um der Götter Ende
> grämt mich die Angst nicht,
> seit mein Wunsch es will!«

Wagner schreibt hierzu: »Wotan schwingt sich
bis zu der tragischen Höhe auf, seinen Untergang zu
wollen. Dies ist alles, was wir aus der Geschichte der
Menschheit zu lernen haben: das Notwendige zu wollen
und selbst zu vollbringen. Das Schöpfungswerk dieses
höchsten selbstvernichtenden Willens ist der endlich
gewonnene, furchtlose, liebende Mensch: Siegfried.«

> ,Dem wonnigsten Wälsung
> weis' ich mein Erbe nun zu!'
> ,Dem ewig Jungen
> weicht in Wonne der Gott!'

Ein musikalisches Motiv ohne Gleichen verkörpert
den Gedanken Wotans, sein Erbe Siegfried zu über-

weisen. Das Motiv wird von nun an ein Hauptthema im Ring und bedeutet ebenso Wotans heldenhafte Entsagung wie Siegfrieds und Brünnhilds Liebe. Das Alte vergeht, das Neue steigt mächtig auf. Nirgends sonst im Ring ist der flutende Orchesterstrom so entfaltet wie in dieser einzigen Szene. Zwischen den Weckruf und die machtvollen Gesänge Wotans hinein klingen die geheimnißvoll dämmernden Akkorde der Wala. Die Gegensätze starrer Ruhe und hochgehender Bewegung in den Gesängen der Wala und des Wandrers wirken sehr eindrucksvoll. Wie aus einer anderen Welt, die tief unter dem wilden Erdentreiben schlummert, bewegungslos und unerbittlich klingen die ernsten Weisen der Wala. Wotan aber, im Bewußtsein des durch Entsagung gewonnenen Sieges, singt göttlich reine Verklärung in die Weisen des Ringes, die in dieser Szene in stolzem Glanze, befreit von lastender Schwere, austönen.

Aber noch ein schwerer Kampf steht Wotan bevor. Im einzigen Zusammentreffen mit Siegfried, unmittelbar nachdem der Wandrer die Ursorge hinab gesenkt, bäumen sich nach kurzer väterlicher Freude an Siegfrieds Knabenübermut Lebenswille und Götterstolz noch einmal empor. Er mag die Stätte nicht kampflos aufgeben. In schnell entflammter Leidenschaft geht er sogar auf einen Sieg aus, der ihn nur elend machen könnte. Noch einmal, wie in der Walküre Walvater dem Siegmund, so hält nun der Wandrer Siegfried den Speer entgegen. Diesmal aber zerhaut das Schwert des freien Helden den Runenspeer des Gottes, und Wotan entschwindet. Wie ein letzter langer Blick ruht in der nächsten Szene das tiefrührende

Abschiedsmotiv aus der Walküre über der schlafenden Brünnhild.

>Da brach sich sein Blick,
er gedachte Brünnhilde dein!«

Damit ist Wotan vom letzten Weltenglück gelöst. Der Wandrer kehrt heim nach Walhall, des Speeres Splitter fest in der Faust, nimmt stumm und ernst den Hochsitz ein und schaut auf des rollenden Schicksals Vollendung.

Die Begegnung Siegfrieds und Wotans vor dem Brünnhildstein hat in den Quellen, die Odin und Sigurd mehrmals zusammentreffen lassen, kein unmittelbares Vorbild. Wohl aber findet sich in anderen Heldenliedern, in dem von Skirnir und Fjolswid und in vielen Märchen und Sagen, ein Kampfgespräch zwischen dem Hüter der verwunschenen Jungfrau und dem Erlöser. In den erwähnten beiden Liedern, die denselben Mythus wie Brünnhild und Dornröschen behandeln, sind Waberlohe und Wächter typisch. So ward auch hier mit richtigem Gefühl die Sage vortrefflich ergänzt und bereichert. Wagners eigene tiefsymbolische Erfindung ist der zerhauene Speer, ein ergreifender Gegensatz zum Schluß des 2. Aufzugs der Walküre, wo das Schwert am Speer zersprungen war.

Endlich ist das Verhältniß Wotans zu Brünnhild von Wagner tiefer und innerlicher erfaßt als in den Quellen. In deutschen Sagen verlautet nichts über die Abkunft Brünnhilds, in der Edda ist sie Budlis Tochter und Atlis Schwester, im Drama Wotans und Erdas Kind. Erda-Wala ist aus zwei Gestalten zusammengewachsen, die in den Quellen ganz getrennt sind. Erda ist die nordische Jord, die Erdgöttin, von der aber keine Sage besteht. Wala ist jene Seherin, die Odin wegen Baldrs Träumen um die Zukunft befragt und der das große Lied, die Volospá, die Kunde der Wala in den Mund gelegt ist. Wie kommt nun Wagner zu dieser Neuerung? Er knüpft alle Walküren inniger an Wotan, indem er sie aus Wunschtöchtern d. h. Adoptivtöchtern, wie die nordischen Sagen berichten, zu wirklichen Töchtern Walvaters macht. Daß Erda Brünnhilds Mutter ward, ergab sich aus der Deutung, die dem Mythus von der Erweckung gegeben ward. Der Lichtgott weckt die Erde aus den Fesseln winterlicher Todesstarre. Wie Siegfried als Ebenbild des Sonnengottes, Froh oder Baldr, erschien, so seine Braut als Ebenbild und Tochter der Erde. So ergaben sich zwanglos schöne und sinnige Beziehungen.

Den Schauplatz der Handlung hat Wagner ziemlich selbstständig erfunden. Von Mimes Waldhöhle, wie sie der erste Aufzug so genau und anschaulich schildert, steht nichts in den Quellen. Wohl aber gaben Zwergschmiedesagen, wie sie zahlreich vorkommen, allgemeine Züge dazu her. Den Kampf mit Fafner verlegt Wagner, Simrocks Vorgang und dem Seyfridslied folgend, in den tiefen Wald. Siegfrieds Rast unter der schattigen Linde ist ganz im Sinne deutscher Sage. Die nordischen Quellen lassen den Kampf auf der Heide vor sich gehen. Zum dritten Aufzug war das Bild der Walküre zu wiederholen, aber doch dadurch, daß die Handlung vom Fuße des Felsenberges durch die Flammen zur sonnigen Höhe aufsteigt, wieder ganz neu geschaut. Auf die im Einzelnen so trefflich ausgeführte Schmiedeszene, zu der der Entwurf von Wieland dem Schmied gründliche

Vorarbeit war, brauch ich nur hinzuweisen, um die
unvergleichliche Plastik aller szenischen Vorgänge im
Wagnerschen Drama vor Augen zu führen.

Nächst den Meistersingern ist Siegfried das sonnig-
ste, nächst dem Tristan an äußerer Handlung das einfachste, mit beiden zusammen aber auch das am
meisten und tiefsten musikalische Werk. Wie ein
Idyll, ein deutsches Waldmärchen, steht der Siegfried
zwischen dem Sturm der Walküre und der erschüttern-
den Tragik der Götterdämmerung.

Götterdämmerung.

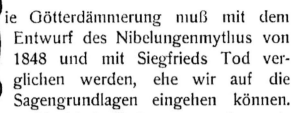ie Götterdämmerung muß mit dem Entwurf des Nibelungenmythus von 1848 und mit Siegfrieds Tod verglichen werden, ehe wir auf die Sagengrundlagen eingehen können. Wagner schreibt: »Siegfrieds Tod war nur der erste Versuch gewesen, einen wichtigsten Moment des Nibelungenmythus zur dramatischen Darstellung zu bringen; unwillkürlich hatte ich mich bemühen müssen, in diesem Drama eine Fülle großer Beziehungen anzudeuten, um den gegebenen Moment nach seinem stärksten Inhalt begreifen zu lassen. Diese Andeutungen konnten natürlich aber nur in epischer Form dem Drama eingefügt sein«. Die erzählenden Teile verlangten also nach selbständiger Gestaltung und sie wurden zunächst zum jungen Siegfried, zur Walküre, zum Raub des Rheingolds. Siegfrieds Tod und Götterdämmerung haben denselben Umfang, dieselbe Szenenfolge, ja großen Teils denselben Wortlaut; und doch ist eine ungeheure Verwandlung vor sich gegangen, Siegfrieds Tod in völlig neue Beleuchtung gerückt. Die Ausschaltung der erzählenden Teile hat die davon betroffenen Szenen frei gemacht, um mit ganz neuem Inhalt erfüllt zu werden. Zugleich erfuhr der ausgeschiedene Stoff bei seiner Verwandlung zu selbständigen Dramen besonders in Walküre und

6*

Rheingold jene tiefgreifenden Aenderungen, die wir als selbständige Zuthaten Wagners hervorzuheben hatten. Die von Wagner gemeinten epischen Teile sind aber die Nornenszene, Brünnhild und die Walküren, für die in der Götterdämmerung Waltraute eintrat, Alberich und Hagen, Siegfrieds Erzählung vor dem Tode, der Schluß des Dramas. Was in diesen Stücken schön und anschaulich war, ging nicht verloren. Die feierliche Todtenklage um Siegfried mit den Wechselgesängen der Frauen und Mannen finden wir im Parsifal bei Titurels Leichenfeier wieder.

(Der Scheithaufen ist bereits in Brand gesteckt; das Ross ist Brünnhilde zugeführt: Sie fasst es beim Zaum, küsst es und raunt ihm mit leiser Stimme in's Ohr:)

Brünnhilde.

Freue dich, Grane:
bald sind wir frei!

(Auf ihr Geheiss tragen die Mannen Siegfrieds Leiche in feierlichem Zuge auf den Holzstoss: Brünnhilde folgt ihr zunächst mit dem Rosse, das sie am Zaume geleitet; hinter der Leiche besteigt sie dann mit ihm den Scheithaufen.)

Die Frauen.

(Zur Seite stehend, während die Mannen Siegfrieds Leiche erheben und dann im Umzuge geleiten.)

Wer ist der Held, den ihr erhebt,
wo führt ihr ihn feierlich hin?

Die Mannen.

Siegfried, den Held, erheben wir,
führen zum Feuer ihn hin.

Die Frauen.

Fiel er im Streit? Starb er im Haus?
Geht er nach Helija's Hof?

Die Mannen.

Der ihn erschlug, besiegte ihn nicht,
nach Walhall wandert der Held.

Die Frauen.

Wer folgt ihm nach, daß nicht auf die Ferse
Walhall's Thüre ihm fällt?

Die Mannen.

Ihm folgt sein Weib in den Weihebrand,
ihm folgt sein rüstiges Roß.

Die Mannen und Frauen zusammen.
(Nachdem die letzteren sich dem Zuge angeschlossen.)

Wotan! Wotan! Waltender Gott!
Wotan, weihe den Brand!
brenne Held und Braut,
brenne das treue Roß:
daß wundenheil und rein,
Allvater's freie Genossen,
Walhall froh sie begrüßen
zu ewiger Wonne vereint!

Hier sind die Strophen des sogenannten kurzen
Sigurdliedes benützt, wo Brünnhild die Todtenfeier bestimmt und mit Bezug auf die reiche Zurüstung sagt:

So fällt dem Fürsten
nicht auf die Ferse
die Pforte des Sals,
die ringgeschmückte,
wenn auf dem Fuße folgt
mein Leichengefolge.
Aermlich wird
unsere Fahrt nicht sein.

Die Uebereinstimmung mit den Wechselgesängen
der Gralsritter ist wörtlich, auch der Rhythmus ist
sehr ähnlich.

In der Götterdämmerung blickt Brünnhild hinauf
zu den Wolken und raunt zu Wotan erlösende Kunde:

»Ruhe, ruhe, du Gott!«

In Siegfrieds Tod spricht sie:

»Nur Einer herrsche:
Allvater! Herrlicher du!
Freue dich des freiesten Helden!
Siegfried führ ich dir zu:
biet ihm minnlichen Gruß,
dem Bürgen ewiger Macht!«

Nachdem die Flammen über den Opfern zusammen-
geschlagen,»leuchtet plötzlich aus der Glut ein blendend
heller Glanz auf: auf düsterem Wolkensaume, gleichsam dem Dampfe des erstickten Holzfeuers, erhebt
sich der Glanz, in welchem man Brünnhild erblickt,
wie sie, behelmt und in strahlendem Waffenschmucke,
auf leuchtendem Rosse, als Walküre, Siegfried an der
Hand durch die Lüfte geleitet«. Also wie in den
nordischen Skaldenliedern möge Odin sich freuen, daß
mit Siegfrieds Erscheinen der Heldenschar in Walhall
Zuwachs wird. Aber der Ring ist ein Wotansdrama
geworden. Durch Wotans Auge erschauen wir jetzt
alle und insbesondere die letzten Vorgänge des tragischen Heldenspiels.»Ein Geschlecht nach dem andern
zieht an dem Gott vorbei; immer wieder keimt eine
neue Hoffnung auf in seinem Herzen, und zwar immer
edler, immer selbstloser. Hatte er in grimmer Ver-
zweiflung bei Siegmunds Tod auf die Weltherrschaft
verzichtet, so tritt er voll Wonne vor dem aufblühenden
Siegfried freiwillig zurück. Aber je größer Wotan
wird, je geläuterter sein Herz, je erhabner sein Denken,

um so unerbittlicher lastet der Fluch auf ihm. Siegfried selber zerhaut Wotans Speer, den Haft der Welt,
den Bürgen seiner Macht, und die erweckte Brünnhilde vergißt, die erlösende Weltenthat zu wirken, den
Ring von Siegfrieds Finger zu nehmen und ihn den
Rheintöchtern zurückzugeben; sie gedenkt des Vaters
und seiner Not nicht, glühende Liebe hat alle ihre
Sinne erfaßt:

> »Himmlisches Wissen
> stürmt mir dahin,
> Jauchzen der Liebe
> jagt es davon!«

Und jetzt — seiner letzten Macht, seines letzten
Hoffens beraubt —

> »auf hehrem Sitze
> stumm und ernst«

schaut der Gott dem unaufhaltsam dahinrasenden
Schicksal zu, welches das Hehrste und Höchste, was
seinem Gedanken entblühte — Siegfried und Brünnhilde — durch namenlose Leiden in grausames Verderben und in den Tod hinabstürzt. Was der Gott
hier erschaut, ist jene Hauptkatastrophe, die Wagner
in seinem ersten Entwurf Siegfrieds Tod betitelt
hatte, welche er aber jetzt, da sie nunmehr die Schluß-
katastrophe der Tragödie in Wotans Herzen bedeutet,
Götterdämmerung nannte. Wotan betritt hier nicht
mehr die Bühne: die Nornen aber sagen uns von ihm,
und Waltraute erscheint als seine Botin; vor allem die
Musik, nunmehr durch die vorangehenden Dramen so
innig mit Wotans Gestalt, aus der alle Hauptthemen
hervorgehen, verwoben, die Musik hat hier eine Gewalt, verbunden mit einer incisiven Bestimmtheit er-

reicht, wie sonst in keinem Werke der Welt und läßt
uns empfinden, als erschauten wir alle diese Vorgänge
durch Wotans Auge«. So schreibt Chamberlain in
seinem Buche über Richard Wagner, und im »Drama
Richard Wagners« 1892 ist noch genauer und ein-
leuchtender der Ring als ein Wotansdrama erwiesen.
Hiervon steht nun in den Vorlagen gar nichts, so
wenig wie in Siegfrieds Tod. Wohl setzt der Götter-
glaube der Nordgermanen den Untergang der Götter
und Walhallgenossen in einer letzten Schlacht gegen
die elementaren Mächte des Verderbens, die Riesen
und Dämonen der Hölle, den Weltbrand und das Auftauchen einer neuen Welt ans Ende der Tage, wohl
denkt der Wotan der Walküre noch ebenso wie Brünnhilde in Siegfrieds Tod:

>daß stark zum Streit
uns fände der Feind,
hieß ich euch Helden mir schaffen« —

aber mit Siegmunds Fall und dem Abschied von
Brünnhild ist der ursprünglich und sagenmäßig äußerlich gedachte Kampf ein völlig innerlicher geworden.
Der letzte Kampf Wotans war der mit Siegfried, wo
der Speer in Trümmer ging. Mit Wotans Traum von
ewiger Macht hatte das Rheingold angehoben. Schon
im ersten Entwurf schrieb Wagner: »Wotan selbst
kann das Unrecht nicht tilgen, ohne ein neues Unrecht
zu begehen: nur ein, von den Göttern selbst unabhängiger, freier Wille, der alle Schuld auf sich selbst
zu laden und zu büßen im Stande ist, kann den
Zauber lösen, und in dem Menschen ersehen die
Götter die Fähigkeit zu solchem freien Willen. In
den Menschen suchen sie also ihre Göttlichkeit zu

übertragen, um seine Kraft so hoch zu heben, daß er, zum Bewußtsein dieser Kraft gelangend, des göttlichen Schutzes selbst sich entschlägt, um nach eignem freien Willen zu thun, was sein Sinn ihm eingiebt. In dieser hohen Bestimmung, Tilger ihrer eignen Schuld zu sein, erziehen nun die Götter den Menschen, und ihre Absicht würde erreicht sein, wenn sie in dieser Menschenschöpfung sich selbst vernichteten, nämlich in der Freiheit des menschlichen Bewußtseins ihres unmittelbaren Einflusses sich selbst begeben müßten«. Wenn die Mannen den todten Siegfried auf seinem Schild durch die mondhelle Nacht dahinführen, da wird auch Wotans Heldengedanke zu Grab getragen. Wie ein Hauch vergeht der Götter Geschlecht nach Siegfrieds Tod. Die altgermanische Heldenwelt ist dahin, eine neue Welt muß aufkommen, um die Fragen neu und anders zu lösen. Wotan im Ring erhebt sich zur Höhe einer Weltanschauung, die das Notwendige, und sei es auch der Untergang, will. Diese Götterdämmerung ist ein moderner Gedanke, zu dem die nordischen Skalden des 10. Jahrhunderts unmöglich aufsteigen konnten. Ein Vergleich mit den Quellen lehrt also folgendes: Odin weiß sein Ende voraus, er reitet stolz und gefaßt mit seinen Helden aus Walhall dem sicheren Tod entgegen. Wotan will sein Ende, er weist sein Erbe an Siegfried, und als der furchtlos freieste Held auch dem Fluche fiel, da giebt er sich selbst, seine Träume, Walhall den vernichtenden und läuternden Flammen Preis. Den Weltbrand wandelt Wagner zum Brand von Walhall, worin altgermanischer Götter- und Heldenglaube sich verkörpert hatte. Den Ausblick auf eine andere Welt eröffnet im letzten

Motiv die Musik. Was die nordischen Gedichte in breiter Ausführung darbieten, ist also nur zart angedeutet. Von der großen Schlacht, die in der Edda dem Weltbrand vorangeht, konnte Wagner natürlich nichts mehr übernehmen, sobald Wotan dem eignen Wirken entsagt hatte. Ferner ist Wagner darin ganz selbständig, daß er den Untergang der Götter mit dem Tode Siegfrieds unmittelbar verknüpft. Siegfrieds Tod ist damit überpersönlich, symbolisch geworden, der letzte Akt einer ungeheuren Schicksalstragödie.

Eine Anregung hierzu mag die von Lachmann behauptete Herkunft Siegfrieds aus Baldr gegeben haben. Baldrs Tod ist allerdings der Anfang vom Ende. Mit seinem Fall wendet sich nach nordischer Mythologie das Glück der Götter und unaufhaltsam naht sich das Verderben. So schwindet mit Siegfried in der Götterdämmerung das Licht, und die Nacht dämmert heran. Daß Wagner Siegfried in diesem mythischen Lichte sah, beweisen seine Worte (Schriften 2, 171 ff.): »die fränkische Stammsage zeigt uns in ihrer fernsten Erkennbarkeit den individualisirten Licht- oder Sonnengott, wie er das Ungethüm der chaotischen Urnacht besiegt und erlegt: dies ist die ursprüngliche Bedeutung von Siegfrieds Drachenkampf, einem Kampfe, wie ihn Apollon gegen den Drachen Python stritt. Als das Licht die Finsterniß besiegte, als Siegfried den Nibelungendrachen erschlug, gewann er als gute Beute auch den vom Drachen bewachten Nibelungenhort: die Erde mit all ihrer Herrlichkeit selbst, die wir beim Anbruch des Tages, beim frohen Leuchten der Sonne als unser Eigenthum erkennen und genießen, nachdem die Nacht verjagt, die ihre düstern Drachenflügel über die reichen Schätze der Welt gespenstig grauenhaft ausgebreitet hielt. Der Besitz des Hortes ist aber auch der Grund seines Todes: denn ihn wieder zu gewinnen strebt der Erbe des Drachen, — dieser erlegt ihn tückisch, wie die Nacht den Tag, und zieht ihn zu sich in das finstere Reich des Todes. Wie der Tag endlich doch der Nacht erliegt, wie der Sommer endlich doch dem Winter wieder weichen muß, ist auch Siegfried endlich wieder erlegt worden; der Gott ward also Mensch, und als dahingeschiedener Mensch erfüllt er unser Gemüt mit neuer gesteigerter Teilnahme.«

Zwei Gelehrte, die Lachmann bekämpft, Mone (Einleitung in das Nibelungenlied 1818) und v. d. Hagen (die Nibelungen 1819) nahmen Sigfrid für gleichbedeutend mit Baldur und ebenso der Nibelunge Not für gleichbedeutend mit Ragnarök, dem Weltbrand der nordischen Mythologie, der Götterdämmerung. Mone schreibt einmal: »Baldurs Ermordung war der Anfang des Weltendes, daher denn in der Heldensage auf die Ermordung Siegfrieds der Nibelungen Not folgt«. So gab also auch hier eine wissenschaftliche Ansicht den äußeren Anstoß, in Siegfrieds Tod den Anfang der Götterdämmerung zu erblicken.

Hier ist noch ein Blick auf die Vorstellungen zu werfen, die im Ring eigenartig über Wotans Weltherrschaft bestehen. Wir finden sie hauptsächlich im Gespräch des Wandrers mit Mime und Alberich, in den Reden der Nornen und Waltrautes und in Brünnhilds letzten Worten. Wagner ist hier sehr selbstständig und hat nur wenige Züge der alten Ueberlieferung zu Sinnbildern seiner eignen Auffassung verdichtet. Das Weltbild erscheint in dreifacher Stufe,

Nibelheim, Riesenheim, Walhall: Unterwelt, Erde, Oberwelt. Wotans Faust führt einen Speer, in dessen Schaft Vertragsrunen eingeritzt sind, dem alle Welten gehorchen. Einst entschnitt ihn Wotan der Weltesche weihlichstem Aste. Die Weltesche, in deren Schatten der Nornenquell rauscht, ist der Sage gemäß ein Sinnbild des Weltganzen. Für einen Trunk aus dem Weisheitsborn gab Wotan sein eines Auge. Die etwas dunklen Beziehungen dieses Augenopfers zur Werbung um Fricka und zum Ursprung Siegfrieds muß ich hier, um Weitläufigkeiten zu meiden, beiseit lassen.

Aber die Welt ward alt und herbstlich, die Blätter fielen falb, der Weltbaum verdorrte, der Quell versiegte: lauter Anzeichen des nahen Endes.

Siegfrieds Schwert zerhieb den Speer und damit Wotans Macht. Wotan kehrte heim, Walhalls Edle wies er zum Forst, die Weltesche zu fällen. Des Stammes Scheite sind um den Saal geschichtet, Götter und Helden um Wotan geschaart. Seine Raben sendet er auf Reise um letzte Kunde. Sie bringen die Botschaft von Siegfrieds Tod und Brünnhilds Ende. Und nun lodert Walhall auf.

Quellenmäßig ist hier nur Wotans Speer, dem aber in der Edda nicht die geringste symbolische Bedeutung eignet, der auch nicht aus der Weltesche geschnitten ist, ferner die Esche selbst mit dem Nornenquell und Odins verpfändetes Auge. Alles andre ist neu gedichtet. Großartig scheint mir vornehmlich der symbolische Runenspeer, der Haft der Welt, in dem das Geschick von Wotans Machtbereich und Machtdauer sich verkörpert. Ein inzwischen als unecht erkanntes Eddalied, Hrafnagaldr d. i. Rabenzauber, das ein Isländer im 17. Jahrhundert dichtete, das aber von Uhland für echt gehalten und sinnig gedeutet und auch von Simrock als echt aufgenommen wurde, hat wohl Wagner beeinflußt. Idun, das frische Grün, ist von der Esche in nächtige Thäler gesunken. Im Laubfall ahnen die Götter ihr Ende. So sendet Odin seinen Raben aus und harrt sorgend seiner Rückkehr. Hier waltet dieselbe Stimmung, jenes herbstliche Niederschauern, das im musikalischen Motiv der Götterdämmerung so sprechenden Ausdruck fand. Hierzu paßt auch mehr der Nordlichtschein, der in der Dichtung das Verhauchen und Verwehen der Götter andeutete. Die Ausführung der Partitur zeigt uns dagegen den Walhallbrand. Nun wird uns auch Wotan klar: so lang er den Speer umspannte, konnte er nur kampflich fallen, wie Odin in der Edda. Aber nachdem Siegfried den Speer zerhauen, war die Macht gebrochen. Wotan kann nur noch verlöschen, in den Todesflammen des Leichenbrandes einer innerlich bereits todten, erstorbenen Welt vergehen.

Das Gespräch Brünnhilds mit den Walküren, die an ihrem Felsen vorüber ziehen und das Schicksal der Schwester, d. h. die hernach in der Walküre behandelten Vorgänge, von ihr erfragen, hat sich in zwei herrliche dichterische Bilder verwandelt. Der Anfang des dritten Aufzugs der Walküre ist einerseits daraus hervorgegangen. Schon in Siegfrieds Tod waren acht Walküren in strahlender Waffenrüstung, auf weißen Rossen sitzend, im Glanz über schwarzem Wolkensaum mit stürmischem Geräusch vorübergezogen und hatten dabei auf das spätere Rittmotiv gesungen:

>Nach Süden wir ziehen, Siege zu zeugen,
kämpfenden Heeren zu kiesen das Loos,
für Helden zu fechten, Helden zu fällen,
nach Walhall zu führen erschlagene Sieger!<

Andererseits trat Waltraute für die Walküren ein,
die einzige, die neben Brünnhilde besondere, persönlich ausgeprägte Züge trägt. Ihre ergreifend schöne
Erzählung von Walhalls Not reiht das ursprüngliche
Drama von Siegfrieds Tod in den Zusammenhang des
Ringes, des Wotandramas, ein. Die Waltrautenszene
kann wundervoll gestaltet werden und ist ein Prüfstein
für eine wirklich stilgerechte Darstellung der Götterdämmerung. Schon die ernste Figurine mit strengen,
geschlossenen Zügen muß einen ganz bestimmten
Eindruck hervorrufen. Waltraute verkörpert den Typus
der ernsten, dem Walfeld vertrauten Schlachtmaid, auf
ihr ruht, im Gegensatz zu Brünnhild, dem leidenschaft-
lich liebenden Weib, der Zug herbster Jungfräulichkeit.

>Wie kannst du's fassen,
fühllose Maid!<

Die Walküre ist unfähig Liebe zu fühlen. So
fühllos war ja einst auch Brünnhild vor Siegmund
getreten, um im Sturm des Mitgefühls aus der Wal-
maid zum liebenden Menschenweib sich zu wandeln.
Aber Waltraute bleibt Walküre, Menschenleid bewegt
ihr Herz nicht, nur Götternot. Sie steht einzig treu
zu Wotan. Ihre eigene Vergangenheit tritt Brünnhilde
in Waltraute entgegen. Brünnhild ist Waltrautes Denken
und Fühlen entrückt und darum weist sie die Schwester
von sich. Für Waltraute bieten die Quellen natürlich
nicht die geringste Andeutung. Und doch ist diese

Gestalt, abgesehen von der ihr zugewiesenen hochwichtigen Rolle im Zusammenhang des Ganzen, eine wunderbare Ergänzung zum Walkürenbild, das erst mit Brünnhilde und Waltraute, die sich von der Schaar ihrer Schwestern so eindrucksvoll abheben, in allen seinen Färbungen vollständig wird. Die Nornenszene endet in der ersten Fassung mit den Worten:

> »Schließet das Seil, wahret es wohl!
> Was wir spannen, bindet die Welt«.

Die Nornen umfassen sich und entschweben dem Felsen. Erst in der Götterdämmerung erhält die Szene ihre düstre, ahnungsschwere Stimmung mit dem reißenden Seil:

> »Zu End' ewiges Wissen!«

Das Gespräch zwischen Alberich und Hagen war mit sehr viel Epischem belastet, wodurch die wesentliche Bedeutung dieses nächtlichen Alptraumes stark abgeschwächt ward. Siegfrieds Erzählung enthielt noch, der Edda gemäß, die Rachefahrt, die der Held gegen Hundings Söhne thut. Die letzten Reden Brünnhildes gewinnen natürlich erst in der Götterdämmerung ihren tiefen, tragischen Sinn.

In den Teilen, die unverändert übernommen wurden, ist die Sprache viel kraftvoller, kürzer, anschaulicher geworden. Man zweifelt keinen Augenblick, welcher Wendung der Vorzug gebührt. Diese sprachlichen Fortschritte zeigt übrigens ebenso ein Vergleich der Fassung von 1853 mit der von 1863 (vgl. Gesammelte Schriften 6, 37 ff.; Bayreuther Blätter 19,

1896 S. 205 ff.). Ja, der aufmerksame Beobachter wird noch im Text der Partitur gar manche Verbesserungen gegenüber der endgiltigen Gestalt der Dichtung entdecken (vgl. Bayreuther Blätter 1897, 20, 156 ff.). Wir haben bisher die Entwickelung betrachtet, die sich in der Grundidee und auch teilweise in der Einkleidung für die Umwandlung von Siegfrieds Tod zur Götterdämmerung ergab. Fast alles war Wagners Erfindung. Die Quellen haben nur in dem beiden Fassungen gemeinsamen Teile Bedeutung, da die Fortbildung natürlich frei und ohne erneute Berücksichtigung der Vorlagen sich vollzog.

Gerade da, wo die nordische und deutsche epische Ueberlieferung am reichsten floss, wo alle neueren Nibelungendichter ihre ergiebigste Fundgrube haben, hat Wagner nur sehr wenig entnommen. Nur die allgemeinsten Umrisse der Erzählung sind benützt, auf nordischer Grundlage, aber mit Verwertung zahlreicher deutscher Züge. Nicht allein durch diese Mischung deutscher und nordischer Ueberlieferung, sondern durch die völlige Neugestaltung im Ganzen und Einzelnen ist Siegfrieds Tod noch mehr als die übrigen Dramen Wagners volles Eigentum. Die Volsungasaga berichtet in den Abschnitten, die für die Handlung der Götterdämmerung in Betracht kommen, folgendes: von dem Walkürenfelsen fährt Sigurd auf neue Thaten aus und kommt zu Gjuki, einem König am Rhein. Des Königs Söhne, Gunnar und Högni, schließen Blutbrüderschaft mit Sigurd und er zieht mit auf ihre Heerfahrten. Die Königin Grimhild, ihre Mutter, will den Helden für immer an die Gjukunge fesseln, und reicht ihm den zauberhaften Vergessenheitstrank, nach dessen

Genuss ihm die Erinnerung an seine Braut schwindet; er heiratet nun die herrliche Tochter Gjukis, Gudrun.

Gunnar will um die Walküre Brünnhild werben, und Sigurd reitet mit ihm. Brünnhilds Burg ist von Feuer umwallt und den allein will sie haben, der durch die Flamme reitet. Gunnar spornt sein Ross, doch es stutzt vor dem Feuer. Er bittet Sigurd, ihm den Grani zu leihen, aber auch dieser will nicht vorwärts. Da tauscht Sigurd mit Gunnar die Gestalt, Grani erkennt die Sporen seines Herrn; das Schwert in der Hand sprengt Sigurd durch die Flammen. Die Erde bebt, das Feuer wallt zum Himmel, dann erlischt es.

In Gunnars Gestalt steht der Held, auf sein Schwert gestützt, vor Brünnhild, die gewappnet dasitzt. Zweifelmütig schwankt sie auf ihrem Sitze wie ein Schwan auf den Wogen. Doch er mahnt sie, daß sie dem zu folgen gelobt, der das Feuer durchschreiten würde. Drei Nächte bleibt er und teilt ihr Lager, aber sein Schwert liegt zwischen beiden. Sie wechseln die Ringe und bald wird Gunnars Hochzeit mit Brünnhild gefeiert.

Einst gehen Brünnhild und Gudrun zum Rhein, ihre Haare zu waschen. Brünnhild tritt höher hinauf am Strome, sich rühmend, daß ihr Mann der bessere sei. Zank erhebt sich zwischen den Frauen über den Wert der Thaten ihrer Männer. Da sagt Gudrun, daß Sigurd es war, der durch das Feuer ritt, bei Brünnhild weilte, und ihren Ring empfing. Sie zeigt das Kleinod, Brünnhild aber wird todesblaß und geht schweigend heim. Kein Schlaf befällt sie, sie sinnt auf Unheil: Sigurds Tod verlangt sie von Gunnar, oder sie will nicht länger mit ihm leben. Högni widerrät.

7

Zuletzt wird Guthorm, der Stiefbruder, der an der Blutbrüderschaft mit Sigurd nicht teilgenommen hatte, zum Morde gereizt. Schlange und Wolfsfleisch wird ihm zu essen gegeben, daß er grimmig werde. Er geht hinein zu Sigurd, morgens, als dieser im Bette ruht; doch als Sigurd mit seinen scharfen Augen ihn anblickt, entweicht er; so zum andern Mal; das drittemal aber ist Sigurd eingeschlafen, da durchsticht ihn Guthorm mit dem Schwerte. Sigurd erwacht und wirft dem Mörder das Schwert nach, das den Fliehenden in der Thüre so trifft, daß Haupt und Hände vorwärts, die Füße aber in die Kammer zurückfallen. Gudrun, die an Sigurd's Seite schlief, erwacht, in seinem Blute schwimmend. Einen Seufzer stößt sie aus, Sigurd sein Leben. Angstvoll schlägt sie die Hände zusammen, dass die Rosse im Stall sich regen und das Geflügel auf dem Hofe kreischt. Da lacht Brünnhild einmal von ganzem Herzen, als Gudrun's Schreien bis zu ihrem Bette schallt.

Brünnhild aber will nicht länger leben, umsonst legt Gunnar seine Hände um ihren Hals. Sie sticht sich das Schwert ins Herz und bittet noch sterbend, mit Sigurd auf hochragendem Scheiterhaufen verbrannt zu werden, dem Geliebten zur Seite und das Schwert zwischen ihnen, wie vormals.

Hier springen grosse Verschiedenheiten sofort in die Augen. Für den ganzen zweiten Aufzug mit seiner unvergleichlichen dramatischen Spannung und Schlagkraft boten die Vorlagen rein nichts. Was in der Volsungasaga und im Nibelungenlied auf mehrere zeitlich getrennte Vorgänge sich verteilt, hat Wagner zu einem wuchtigen Augenblick verdichtet. Den berühmten Zank der Königinnen, der den Trug offenbart, hat er aus zwei Gründen übergangen. Dazu hätte Gutrun viel mehr herausgearbeitet werden müssen, als es die Anlage des Dramas verstattete, und schließlich wiederholt sich ein Meister nicht: die Zankszene spielt sich bereits im »Lohengrin« zwischen Ortrud und Elsa ab. Nach deutscher Sage bleibt Hagen Siegfrieds Mörder, und Siegfried wird draussen im Walde erschlagen. Hagen ist, wie die auf niederdeutschen Berichten ruhende Thidrekssaga meldet, ein Albensohn. Diesen Zug führt Wagner noch kräftiger aus, indem er ihn zu Alberichs Sohn macht. Zwischen Wotan und Alberich erhob sich der Streit, zwischen Siegfried und Hagen wird er ausgetragen. Siegfried der Wälsung und Hagen der Nibelung stehen sich schon äußerlich als die größten Gegensätze wie Tag und Nacht gegenüber. »Wie die Wünsche und Hoffnungen der Götter auf Siegfried beruhen, setzt Alberich seine Hoffnung der Wiedergewinnung des Ringes auf den von ihm erzeugten Helden Hagen. Hagen soll Siegfrieds Verderben herbeiführen, um diesem in seinem Untergange den Ring abzugewinnen.« So gewinnt die Feindschaft zwischen Hagen und Siegfried einen tiefen Hintergrund, wovon die Sage nichts ahnte. Die beiden sind geborene Feinde. Hagen ist ein teuflisches Zerrbild des götterentsprossenen Helden.

Hagen, dessen Aussehen auch das Nibelungenlied 1672 als schrecklich schildert, ist ohne Liebe erzeugt, ein Mordgeist, von dem ein Hauch der Kälte und des Todes ausgeht. Die Thidrekssaga stellt Gunnar und Hagen mit folgender Schilderung ein-

7*

ander entgegen: »König Gunnar hatte lichtes Haar,
ein breites Antlitz, einen lichten und hellen Bart, war
breitschultrig, hell von Farbe und hehr von ganzem
Wuchse, adlig von Aussehen. Hagen, sein Bruder
hatte schwarzes und langes Haar, ein langes Gesicht,
eine lange und starke Nase, lange Brauen, einen
dunkeln Bart und war überhaupt dunkelfarbig; er
hatte ein hartes und grimmiges Antlitz.«

Wenn die Mannen einmal im Scherz auf Hagens
Namen singen:

> ›der Hagedorn
> sticht nun nicht mehr‹ —

so denkt Wagner dabei an das Lied von Waltharius,
wo Hagen der Dornige *(spinosus)* genannt wird. (vgl.
auch die Stelle: *o paliure, virens foliis, ut pungere
possis* = o Hagedorn, voll grüner Blätter, wie stichst du!).

Zwischen dem Liebesjubel im Siegfried und dem
lichten Tagesglanz, von dem umleuchtet Siegfried und
Brünnhild in der Götterdämmerung noch einmal vor
uns treten, wirkt das nächtige Nornenweben, das den
düsteren Grundton des letzten Dramas angibt, höchst
eigenartig. Wie ein Nachtschatten fällt dunkle Schick-
salsahnung auf helles Glück.

Wie die Nornen mit goldenem Seil weben und
spinnen, wird im ersten Helgilied geschildert. Nach
Helgis Geburt kommen zur Nacht Nornen, die sein
Schicksal bestimmten. Sie schnürten scharf die
Schicksalsfäden, goldene Fäden fügten sie weit, sie
mitten festigend unterm Mondessal. Westlich und
östlich bargen sie die Enden, einen Faden warf nord-
wärts eine Norn, ewig zu halten hieß sie dies Band.

Aber ebenso neu wie Wotans zerspellter Speer ist das zerrissene Nornenseil im Drama, zwei gewaltige Vorzeichen des unaufhaltsamen Endes.

Im Morgendämmer entschwinden die grauen Weiber unsrem Blick, vom letzten strahlenden Sonnenaufgang gescheucht. Aeußeren Anstoß zur Nornenszene gab Fouqué, bei dem die drei Nornen vor der Felsenburg Brünnhilds, ehe Sigurd die Schlafende weckt, und am Ende des Dramas über dem Rauch des Holzstoßes erscheinen und ziemlich nichtssagende Lieder singen. Siegfrieds Abschied von Brünnhild, seine Rheinfahrt, die der Rheintöchter Klage um den Raub des Goldes begleitet, sind eigene Zusätze Wagners.

Aber Brünnhilds Worte:

> ›was Götter mich wiesen,
> gab ich dir:
> heiliger Runen
> reichen Hort‹

entstammen dem Liede von der Erweckung der Walküre, die Sigurd mit Runenlehre für alle Lebenslagen begabt. Die in deutschen Quellen berichtete Unverwundbarkeit Siegfrieds verwandelt Wagner in einen Wundsegen, mit dem Brünnhild den Geliebten gegen jede Wehr feite. Nur am Rücken des niemals fliehenden Recken sparte sie den Segen und dort trifft ihn Hagens Speer.

Für die Vorgänge in der Gibichungenhalle sind die nordischen Berichte mit Einmischung deutscher Züge benutzt. Daß Siegfried trotzig auftritt und Gunther sein Land abkämpfen will, aber sich dann durch ehrenvolle Aufnahme besänftigen läßt, steht in der 3. Aventiure des Nibelungenliedes. Großartig wirkt die Gegenüberstellung des lichten Wälsungen und finsteren Nibelungen, wie Siegfried die Halle betritt. Gleich hier grollt dumpf und ahnungsvoll der Fluch. Die Worte:

> wohl hüte mir Grane!
> Du hieltest nie
> von edlerer Zucht
> am Zaume ein Roß! —

sind verdichtet aus denen Sigurds bei Fouqué:

> »ist wer dabei,
> der mir mein treues Roß zur Wartung abnimmt?
> behandelts höflich, sonsten wird es bös,
> denn edler Gattung ist's, heischt feine Zucht.«

Für den Blutbund Siegfrieds und Gunthers, der nicht nach nordischem Brauch eingegangen wird, wonach die beiden Freunde ihr Blut in eine Grube rinnen lassen, dass es sich mit Erde mische, sind die Angaben in J. Grimms Rechtsaltertümern, Seite 193, über das symbolische Bluttrinken, in der Mischung des Blutes mit Wein, benützt.

Hagens Wacht ist der 30. Aventiure des Nibelungenliedes entnommen, wo Hagen mit Volker den Saal der Burgunden gegen die Hunnen bewacht. Die Szene ist aber durch Wagner in völlig neuen Zusammenhang gerückt. Dass Siegfried Brünnhilden den Reif abringt, stammt aus der 10. Aventiure des Liedes, während der Schauplatz auf dem feuerumwaberten Felsengipfel nordischer Ueberlieferung ge-

mäss ist, wie Sigurd in Gunnars Gestalt um Brünnhild freit. Im zweiten Aufzug ist Handlung und
Schauplatz fast ganz neu erfunden, aus den Quellen
lassen sich nur wenige vereinzelte Züge nennen. Im
Nibelungenlied erbietet sich Siegfried nach dem Zank
der Frauen zum Reinigungseid im Ring der Burgunden
(Lachmann Strophe 801/3), Hagen geht zu Brünnhild
(Strophe 806/7), woran der Mordrat gegen Siegfried
unmittelbar anknüpft (Strophe 808/19); nur ungern ent-
schließt sich Gunther zu Siegfrieds Tod. Das Ge-
heimnis von Siegfrieds verwundbarer Stelle erfragt
Hagen von Kriemhild (Strophe 839/48). Dass Brünnhild zu Siegfrieds Tod anreizt, berichten Edda und
Volsungasaga. Das ist alles, was Wagner vorfand.
Dass Brünnhild selbst an Siegfrieds Hand den ver-
hängnisvollen Ring erkennt und nicht nur durch
Kriemhild-Gutrun davon hört, dass sie mit eigenen
Augen den Trug alsbald durchschaut, ist von mächtigster
dramatischer Wirkung und entlastet die Bühne von
dem umständlichen Ränkespiel, das die Handlung der
meisten Nibelungendramen so schleppend macht und
im musikalischen Drama ganz undenkbar wäre.

Voller Stimmungszauber waltet im dritten Aufzug,
gegen dessen dichterische Größe die besten Stellen
der alten Vorlagen nur wie leise Vorahnung sich aus-
nehmen. Schon der Blick ins Wald- und Felsenthal
am Rhein mit den Nixen ist von wundersamer Schönheit. Im Rheingold habe ich bereits auf die Quelle,
das Nibelungenlied Str. 1673—1689 verwiesen und
hervorgehoben, welch tiefe Bedeutung diese Szene
im Zusammenhang des Ringes gewann. Auf der
Rheinfahrt zu Gibich's Hof war Siegfried der Nixen-

klage taub geblieben, jetzt vor dem Tode geistersichtig geworden, erblickt er die Rheintöchter leibhaftig und versteht ihre Worte. Den symbolischen Wurf Siegfrieds mit der Erdscholle entnahm Wagner J. Grimm's Mythologie S. 609: »noch unsere Landsknechte des 16. Jahrhunderts warfen, in die Schlacht gehend, eine Erdscholle zum Zeichen aller Lossagung vom Leben.« Daß Siegfried auf der Waldjagd in der Nähe des Rheins erschlagen wurde, erzählt die 16. Aventiure des Nibelungenlieds. Man rühmt dem Verfasser des Liedes mit Recht nach, daß er den Helden noch einmal vor seinem Tode im vollen Glanze seines sorglossonnigen Wesens geschildert habe, um seinen Fall noch tragischer wirken zu lassen. Noch viel herrlicher leuchtet Siegfrieds überfrohe Art im dritten Aufzug auf im Gespräch mit den Nixen und in der Märe aus seinen jungen Tagen. Wenn nun die Motivwelt des »Siegfried« da noch einmal emporsteigt und in den feierlichen Klängen der Erweckung der Walküre endigt, mit denen der sterbende Held, von dessen Geist im Augenblick des Todes alle Nacht gewichen, der fernen Brünnhild, der heiligen Braut, einen letzten Gruß entbietet, wenn dann die gewaltigste Heldenklage ertönt, während die Mannen den toten Siegfried über die Höhe zu Gibichs Hof tragen, und endlich aufsteigende Nebel den Zug verschleiern, so nehmen sich diesen unvergleichlich großen Bildern gegenüber die paar Andeutungen der Vorlagen sehr dürftig aus. Herrlich ist die Lichtstimmung: im strahlenden Sonnenaufgang war Siegfried im Vorspiel zuerst vor uns erschienen, in Dämmerung, Abendrot und Nacht verging er, ein echter Sonnenheld.

Die Volsungasaga berichtet, daß die Kraft des Vergessenheitstrankes allmählich nachließ und Siegfried die Erinnerung zurückkehrte. Im Nibelungenlied (922—929) stößt Hagen seinen Speer Siegfried in den Rücken; Siegfried schmettert mit dem Schilde Hagen nieder und bricht dann zusammen. Die Spielanweisung in der Götterdämmerung nimmt hierauf Bezug. Im Nibelungenlied weilen die letzten Gedanken des sterbenden Helden bei Kriemhild, in der Edda spricht Sigurd noch liebevoll zu Gudrun. Diese weiche Stimmung erhebt sich im Drama zum Heilgruss an Brünnhild. Im Nibelungenlied wird der Tote auf seinen Schild gelegt (940) und bei Nacht über den Rhein geführt (943).

Das Nibelungenlied hebt mit dem bangen Traum Kriemhilds an, in dem sie ihr Schicksal voraussieht. Vor Siegfrieds Tod wiederholen sich die Träume. Ebenso erzählt die nordische Sage. Ueberhaupt bilden warnende Träume, die künftige Ereignisse vorausspiegeln, ein beliebtes, oft angewandtes Kunstmittel im germanischen Heldengedicht. Aber fürs Drama haben sich diese Vorahnungen mit Recht zu den Worten Gutrun's verkürzt:

> schlimme Träume
> störten mir den Schlaf.

Für die letzten Vorgänge in der Gibichungenhalle, Hagens Kampf mit Gunther, Hagens Forderung nach dem Ring, das Erscheinen der Rheintöchter, Hagens Tod und den Walhallbrand bestehen keine Vorbilder, höchstens der allgemeine Zug, daß Hagen im Nibelungenlied nach Siegfrieds Tod den Hort an sich bringt und

im Rhein versenkt. Nach dem Nibelungenlied 941 soll
die Kunde verbreitet werden, daß Räuber Siegfried im
Wald erschlugen. Erst viel später (1728) im Hunnen-
land gesteht Hagen seine Schuld:

Er sprach: ‚waz sol des mêre?   der rede ist nu genuoc.
ich binz et aber Hagene,   der Sifriden sluoc,
den helt ze sinen hauden.   wie sêr er des engalt,
daz die vrouwe Kriemhilt   die schoenen Brünhilde schalt!‘

Daraus stammen Hagens Worte:

Ja denn! Ich hab' ihn erschlagen,
ich — Hagen —
schlug ihn zu todt!

Daß der tote Siegfried die Hand erhebt, als Hagen
Leichenraub begehen will, ist der Volkssage entlehnt,
wo Tote einen Ring oder dergleichen sich nicht
nehmen lassen. Das Nibelungenlied erzählt das Wunder
des Bahrgerichts, daß des toten Siegfried Wunden
wieder bluten, als Hagen herantritt.

Die Scheltrede zwischen Brünnhild und Gutrun,
und Brünnhilds letzte große Rede, sowie der Leichenbrand mit Siegfried sind sagenecht. Die mehr ge-
messene Fassung in Siegfrieds Tod steht den Quellen
näher als die leidenschaftlichere der Götterdämmerung.
Die langen Reden, die Brünnhild in der Edda und
Volsungasaga hält, haben aber mit der Fassung im
Drama nur zwei Dinge gemein, daß Brünnhild auf
ihre Liebe zu Siegfried zurückblickt und den gemeinsamen Leichenbrand befiehlt. Nirgends findet sich
der große Zug, wie Brünnhild Gutrun von der Bahre
des toten Helden zurückweist. Hier wirkt bereits der
Tristan, den Wagner in der Bearbeitung von Hermann

Kurz (1844 und 1847) kennen lernte. Dort weist die blonde Isolde, die übers Meer zum sterbenden Tristan geeilt war, die weißhändige Isolde, die ihm angetraut war, vom Bett des toten Geliebten:

Die Weißhand saß bei ihm mit Klagen.
Da riß sich die blonde Isolde los,
Gewaltig stand sie, hoch und groß
Wie eine Todesgöttin, dort.
Lautlos trieb sie den Schemen fort,
Den hohlen, der zu seiner Hülle
Ihr Namen, Liebe, Lebensfülle,
Ja alles, alles ihr gestohlen,
Was nichts dem Schemen war, dem hohlen!
Ihr gnügte ein stummer Wink der Hand,
Vor dem die andere nicht bestand.
Die Arme überliefs mit Graus,
Sie schlich sich still und scheu hinaus.
Sie konnte im eignen Herzen lesen,
Daß sie das Kebsweib war gewesen.
Nun trat die blonde Königin
Zu ihrem todten Freunde hin.
Sie sah ihm zärtlich ins Angesicht,
Erwies ihm fromm die letzte Pflicht
Und schloß die beiden Augen zu,
Woran ihr Trost und ihre Ruh
In lieben und leiden Jahren
So lang gelegen waren.

Handlung und Schauplatz im Ring schreiten von der mythisch-heroischen Landschaft des Rheingold zum germanischen Urwald mit den Fehden der Walküre und den Märchenthaten des Siegfried und endlich zum Stammeskönigtum der Gibichungen vorwärts. Eine Art Entwicklungsgeschichte aus den Urzeiten bis in die historischen Anfänge der germanischen Stämme stellt sich uns dar, sobald die Aufgabe so feinfühlig erfaßt und gelöst wird, wie es im Bayreuther Festspiel geschah.

Wagner rühmt an Shakespeare die Kraft der Anschaulichkeit: »Was hat der Mann gesehen!« Im selben Maaße ist diese Gabe des Schauens dem deutschen Meister verliehen, vor dessen Seele jene wunderbar klaren und scharfen Bilder germanischer Götter- und Heldensage aufstiegen, aus denen sein unvergleichliches Heldenschauspiel zum stolzen Bau sich fügte.

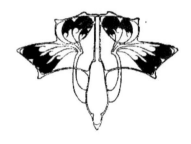

Buchdruckerei „Gutenberg“, Charlottenburg, Berlinerstr. 103.